서강
한국어

서강한국어 뉴시리즈
Student's Book 2A

☆ 이 책은 2002년에 출판한 서강한국어 2A를 수정 보완한 것입니다.
This book has been developed from Sogang Korean Student's Book 2A, first published in 2002.

저작권

출판사

초판 발행	2008년 11월 1일
1판 14쇄	2018년 9월 7일
펴낸곳	서강대학교 국제문화교육원 출판부
펴낸이	박종구
등록번호	313-2006-00028
출판사 주소	서울시 마포구 백범로 35 (신수동)
Tel	(82-2) 705-8088~9
Fax	(82-2) 701-6692, 713-8963
e-mail	ckss@sogang.ac.kr

homepage http://klec.sogang.ac.kr   http://koreanimmersion.org

서강한국어 교사 사이트

http://koreanteachers.org

세트

ISBN	978-89-92491-26-6 18710	서강한국어 뉴시리즈 학생책 2A
	978-89-92491-27-3 18710	서강한국어 뉴시리즈 학생책 2A 영어 문법·단어 참고서 (비매품)
	978-89-92491-52-5 18710	서강한국어 뉴시리즈 학생책 2A 일본어 문법·단어 참고서
	978-89-92491-54-9 18710	서강한국어 뉴시리즈 학생책 2A 중국어 문법·단어 참고서
	979-11-6163-008-3 13710	서강한국어 뉴시리즈 학생책 2A 베트남어 문법·단어 참고서
	978-89-92491-28-0 18710	서강한국어 뉴시리즈 학생책 2A CD (비매품)
ISBN	978-89-92491-30-3 18710	서강한국어 뉴시리즈 워크북 2A
	978-89-92491-25-9 18710	서강한국어 뉴시리즈 워크북 2A CD (비매품)

판매·유통

판매·유통	(주)도서출판 하우
등록번호	제475호
주소	서울시 중랑구 망우로 68길 48
Tel	(82-2) 922-7090, 922-9728 Fax (82-2) 922-7092
homepage	http://hawoo.co.kr

시리즈 기획

김성희

연구개발진

서강한국어 2A (2002 초판)

최정순	배재대학교 외국어로서의 한국어학 교수	서강대학교 국어학 박사
김성희	서강대학교 한국어교육원 전 교학부장	서강대학교 불어학 박사수료
김은정	서강대학교 한국어교육원 연구원	서강대학교 영문학 석사
오승은	서강대학교 한국어교육원 연구원	서강대학교 국어학 박사수료

서강한국어 뉴시리즈 2A (2008 초판)

김성희	서강대학교 한국어교육원 전 교학부장	서강대학교 불어학 박사수료
이정화	서강대학교 한국어교육원 연구원	이화여자대학교 한국어교육학 석사
정예란	서강대학교 한국어교육원 연구원	연세대학교 한국어교육학 석사

영문 번역

주유경	영국 SOAS 연구원	영국 SOAS 한국어학 박사
Duane Henning	연세대학교 교양영어 전임강사	호주 Macquarie University 응용언어학 석사
Dominic Hanlon	전 인천대학교 교양영어 전임강사	호주 Macquarie University 물리학 학사

영문 감수

허구생	서강대학교 국제문화교육원 전 원장	미국 University of Minnesota 역사학 박사
Yoo Isaiah WonHo	서강대학교 영미어문학 교수	미국 UCLA 응용언어학 박사

제작진

편집 디자인	디자인탱크
일러스트	김소연(디렉터), 장선미, 최익견, 민지영, 정선경
사진	스튜디오 루
표지디자인	디자인씨드
CD 녹음 편집	Playback

도와주신 분

사진 모델	서강대학교 한국어교육원 교수진, 가족, 친구, 학생
연구 지원	오경숙, 최연재 연구원
CD 음악	봄 여름 가을 겨울
행정	서강대학교 기획처 예산팀, 사무처 구매팀, 국제문화교육원 행정실 총무팀

일러두기
Culture - Context - Communication

서강한국어 프로그램

서강대학교 한국어교육원은 1990년에 개원하였으며, 1992년부터 의사소통 교수법을 한국어 수업에 적용하여 말하기 중심 한국어 교육과정을 개발하였습니다.

학습 내용이 학생과 관련된 것이고 그 맥락 안에서 제시되기에 학습이 쉽고 재미있습니다. 학생들은 첫날 첫 시간부터 한국어로 대화하고 한국어로 생각하면서 학습의 즐거움, 성취감을 경험합니다. 따라서 학생들은 실제성 있는 내용을 체계적으로 배우면서 한국 사회에서 자유롭게 생활할 수 있는 실력을 단기간에 갖추게 됩니다. 언어와 문화를 함께 배우는 수업은 늘 흥미롭습니다.

Sogang Korean Language Program

Sogang Korean Language Education Center (henceforth Sogang KLEC) was founded in 1990 and has developed a Korean Language Education Curriculum that focuses on speaking by applying a communicative approach to classroom setting since 1992.

From the first day of class students at Sogang KLEC experience a sense of achievement by learning how to communicate and think in Korean. Materials are presented in context, and the topics covered are relevant to students' life. Through a practical curriculum, students can systematically develop communicative competence in a short period of time by engaging in real-life activities. They participate in classroom activities and help each other to meet their educational goals.

서강한국어 New 시리즈 교재

2000년에 서강한국어 초판이 나온 후 많은 사랑을 받았습니다. 이번에 새롭게 출간되는 뉴시리즈는 그동안 서강한국어를 아껴 주신 여러분들의 조언을 받아들여 수정 보완한 개정판입니다.

새로 문법 교재를 추가하였고, 현재 사회 문화에 맞지 않는 내용을 교체하였습니다.
또한 학습 내용을 효과적으로 전달할 수 있도록 그림과 사진, 디자인을 최신화했습니다.

그 외에도 서강한국어 과정에서 사용하는 다양한 부교재, 평가지, 교수 전략을 여러 한국어 선생님들과 공유하기 위하여 교재 세트 및 시리즈 제작을 계속할 것이며 인터넷 네트워크를 구축할 계획도 갖고 있습니다.

Sogang Korean New Series Textbooks

The first version of Sogang Korean series was printed in 2000. The new series has been revised based on suggestions made by professional Korean language teachers.

The new series textbooks have been enriched with new photos, illustrations and a new design to convey information more effectively. A new grammar portion has been added, and the contents have been updated to better fit the trends in today's Korean society and to emphasize cultural aspects. LEC will continue to publish components and series and plans to establish an internet network in order to share the teaching strategies and various materials with Korean language teachers all around the world.

서강한국어 교재 학생책

서강한국어 교재는 다년간의 연구개발을 거쳐 개발한 서강한국어 프로그램의 교수 내용과 방법을 반영한 교재입니다.
문법, 대화, 과제, 읽기, 듣기, 쓰기, 어휘, 발음, 억양, 문화 학습 자료를 수록하고 있습니다. 교재에 수업 구조를 반영하였기에
수업 단계 및 교수 학습 방법을 쉽게 이해할 수 있습니다.
단원 표지에 학습목표를 제시하여 학습목표를 명확히 알 수 있도록 했고, 단원 끝에 단원 정리를
제시하여 학생 스스로 학습 내용을 확인할 수 있도록 했습니다.

Sogang Korean Student's Book

The Sogang Korean Textbooks were written with a teaching philosophy that was developed over an
extensive period of time in Sogang KLEC.
**The textbooks are easy to comprehend and beneficial to teachers as well as learners because they reflect the class
structure.**
**The textbooks include Grammar, Dialogue, Task, Reading, Listening, Writing, Vocabulary,
Pronunciation, Intonation, and Culture.**
The objectives of each unit are listed at the beginning and at the end to emphasize the goal of each unit.

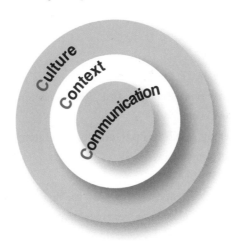

서강한국어 2A 대상과 학습 시간

서강한국어 1A와 1B를 학습한 학생 또는 150~200시간 정도의 한국어 수업을 마친 학생을 위한 교재입니다. 서강한국어 2A는
각 단원 6~8시간, 전체 75~100시간 정도의 수업이 가능하도록 구성하였습니다.

Learning hours for 2A

2A is for Korean language students who have learned <Sogang Korean 1A and 1B> or 150-200 hours of Korean. Each lesson
covers 6 to 8 hours of learning and total of 75-100 hours are covered in 2A.

2A 구성

학생책
교실 수업용 교재입니다. 전체 9과이고, 각 과는 '단원 표지, 문법, 대화, 과제(Task), 읽고 말하기, 듣고 말하기, 단원 정리' 순서로 구성되어 있습니다.
문화, 어휘, 발음·억양, 쓰기 학습 자료도 수록하고 있습니다.

학생책 CD
말하기 대화, 듣기 대화, 발음·억양 연습, 띄어 말하기 연습, 정확히 듣기 연습, 읽기 본문 녹음 자료를 수록하고 있습니다.

문법 단어 참고서
학생이 수업을 예습하거나 복습할 때 참고하는 책입니다. **문법 설명, 새 단어·표현 번역과 인덱스**를 담고 있습니다.

워크북
수업 내용을 집에서 복습할 때 이용하는 연습책입니다. 개인 학습 시간이 지루하지 않도록 매 단원 끝에 **한국 문화 소개** 또는 **게임** 자료를 수록하였습니다.

워크북 CD
듣고 따라하기, 받아쓰기 연습용 녹음 자료를 담고 있습니다.

2A Components

Student's Book
It is designed to be used in the classroom. 2A consists of 9 lessons. Each lesson includes **Introduction, Grammar, Dialogue, Task, Reading & Speaking, Listening & Speaking, and Summary of the Lesson.**

Student's Book CD
Speaking, Listening, Reading, Pronunciation and Intonation Exercises have been recorded on the CD.

Grammar and Vocabulary Supplementary book
This booklet is helpful for students to preview and review lesson by themselves.
It includes **grammar explanations, new vocabulary and an index.**

Workbook
Students use this book to review lesson at home.
There are **Games** or **Culture Capsules** at the end of each unit.

Workbook CD
Practice materials for **Listening and Repeating, and Dictation** can be found on the Workbook CD.

목차
Contents

학생책 2A 포함 세트

녹음 CD

문법·단어 참고서

Table of Contents

단원 구성

단원 표지

〈표지 그림〉
단원 내용을 이미지로 보여 줍니다.

〈학습 목표〉
단원 학습 목표와 내용을
알려줍니다.

문법

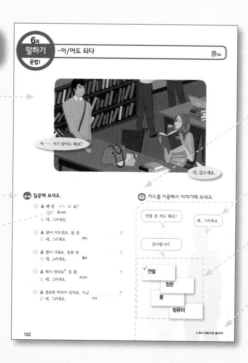

〈문법 제시〉
그림으로 맥락을,
대화로 의미를 보여 줍니다.

〈문법 연습〉
문법 형태를 익히는 연습입니다.

〈✪ 표시〉
틀리기 쉬운 것입니다.
한 번 더 생각하도록
표시해 줍니다.

〈문법 액티비티〉
문법 습득을 도와줍니다.

〈액티비티 예시 대화〉

〈액티비티 예시 자료〉

〈참고 문법〉
분석적인 학습자를 위하여
새로 나온 문법·표현에 대한 설명을 제공합니다.
설명은 문법·단어 참고서에 수록되어 있습니다.

대화

〈대화 도입 질문〉
대화 장면으로 유도합니다.
대화 맥락을 형성시켜
주는 질문입니다.

〈대화 그림〉
주인공들이 언제, 어디에서,
어떤 느낌으로 대화하는지를
보여 줍니다. 또한 장소, 관계에
적합한 화법, 문화 학습을
도와줍니다.

〈대화문〉
그림 대화 장면에서 쓸 수 있는
예시 대화입니다. 예시 대화는
목표 문법을 어떻게 대화
구조에서 자연스럽게 사용할 수
있는지 보여 줍니다.

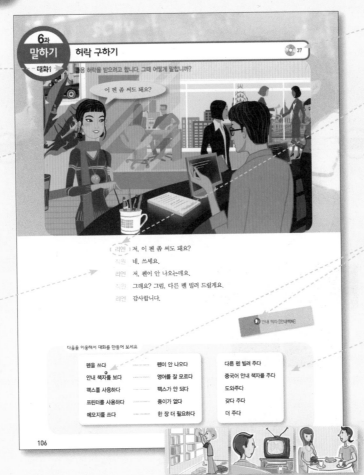

〈CD 트랙 번호〉
대화문 녹음이 들어 있는
CD 트랙을 알려줍니다.

〈고유 명사〉
교재 전체에서 고유 명사는
서체가 다릅니다.
(제목 등 고유 명사 표시가
어려운 경우 제외).
고유 명사 표시가 있으면
사전에서 찾지 마세요!

〈발음〉
발음이 틀리기 쉬운 단어
예시입니다.
발음에 주의하게 합니다.

〈대화 cue〉
대화 연습을 도와줍니다.
유사 대화를 만들 때
유용합니다.

〈그림 cue〉
cue를 그림으로 제공하기도
합니다.

과제

〈수업 방법〉
과제 수업 구조와
각 단계 내용을
알려 줍니다.

〈예시 자료〉

〈예시 대화〉

읽고 말하기

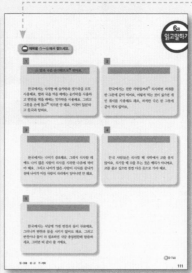

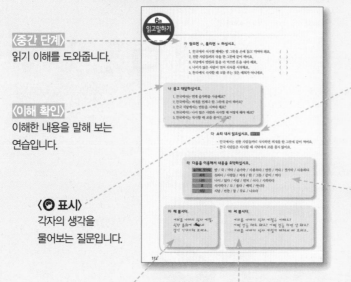

〈도입〉
읽기 준비 단계입니다.
학생이 주제에 관심을 갖고
집중하게 합니다.

〈제시〉
본문 이해에 필요한
배경 지식과 주요 어휘를
준비시킵니다.

〈읽기 초점〉
구체적인 읽기 과제(Task)입니다.
본문에서 무엇을 이해해야
하는지 미리 제시합니다.
목적을 갖고 읽으므로
읽기가 쉬워집니다.

〈중간 단계〉
읽기 이해를 도와줍니다.

〈이해 확인〉
이해한 내용을 말해 보는
연습입니다.

〈🎙 표시〉
각자의 생각을
물어보는 질문입니다.

〈낭독〉
정확한 발음으로 읽기,
자연스럽게 끊어 읽기,
적당한 속도로 낭독하기 연습입니다.

〈이야기 재구성〉
주어진 단서를 이용해서
이야기를 재구성하는 연습입니다.
전체 내용을 이용해서
긴 이야기를 조리 있게
말하는 연습을 합니다.

〈활용〉
본문 내용과 관련된 액티비티입니다.
생각이나 경험 나누기, 역할극, 게임,
창작 등 다양한 활동을 합니다.

〈쓰기〉
본문 내용 또는 활용 단계 액티비티를 이용한 글쓰기입니다.
읽기 본문을 예시문으로 이용합니다.
쓰기 수업 자료로 이용하면 좋습니다.

듣고 말하기

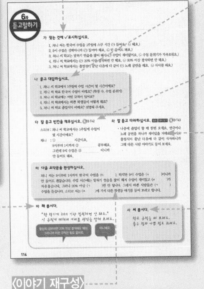

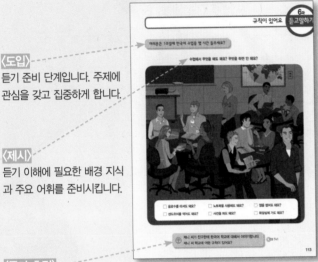

〈도입〉
듣기 준비 단계입니다. 주제에
관심을 갖고 집중하게 합니다.

〈제시〉
듣기 이해에 필요한 배경 지식
과 주요 어휘를 준비시킵니다.

〈듣기 초점〉
구체적인 듣기 과제(Task)입니다.
CD를 듣고 무엇을 이해해야
하는지 미리 알려줍니다.
목적을 갖고 들으므로
듣기가 쉬워집니다.

〈활용〉
듣기 내용을 활용하는
액티비티입니다.
생각이나 경험 나누기, 역할극,
게임, 창작 등
다양한 활동을 합니다.

〈중간 단계〉
듣기 이해를 도와줍니다.

〈이해 확인〉
이해한 내용을 말해 보는
연습입니다.

〈정확히 듣기〉

〈발음·억양〉
발음, 억양, 자연스럽게 끊어
말하기 연습을 도와줍니다.

〈쓰기〉
듣기 내용 또는 활용 단계 액티
비티를 이용한 글쓰기입니다.
쓰기 수업 자료로 이용하면
좋습니다.

〈이야기 재구성〉
요약문을 이용해서 이야기를 재구성하는
연습입니다. 전체 내용을 이용해서 긴
이야기를 조리 있게 말하는 연습을 합니다.

단원 정리

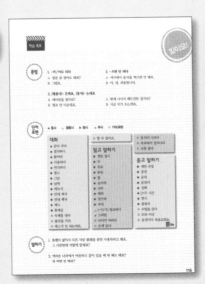

〈학습 확인〉
이번 단원에서 학습한 내용을 확인해 봅니다.

단어·표현은 주어진 맥락에서의
의미를 번역하여 별책 〈문법·단어 참고서〉에
담았습니다.

Characters  2A 교재 인물

현우
한국 대학생

지훈
한국 대학생

히로미
일본 사람, 주부

렌핑
중국 학생

한스
독일 사람, 회사원

수잔
재미교포, 기자

제니
호주 사람, 디자이너

1

이름이 어떻게
되세요?

학습 목표

왜 한국에 오셨어요?

한국어를 배우러 왔어요.

대답해 보세요.

① A 어떤 운동을 좋아하세요?
  B 축구를 <u>좋아해요</u> .

② A 어디에서 한국어를 배우셨어요?
  B 일본에서 _____ .

③ A 언제까지 한국에 계실 거예요?
  B 올해 12월까지 _____ .

질문해 보세요.

① A 보통 아침을 <u>드세요</u> ?
  B 네, 먹어요.

② A 오늘 학교에 몇 시에 _____ ?
  B 8시 반에 왔어요.

③ A 주말에 뭐 _____ ?
  B 친구를 만날 거예요.

존댓말로 바꿔서[1] 물어보세요.

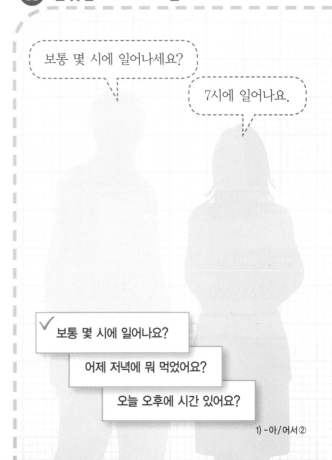

보통 몇 시에 일어나세요?

7시에 일어나요.

✓ 보통 몇 시에 일어나요?

어제 저녁에 뭐 먹었어요?

오늘 오후에 시간 있어요?

1) -아/어서②

18

전화번호 좀 가르쳐 주세요.

네, 가르쳐 드릴게요.

대답해 보세요.

① A 문 좀 열어 주세요.
　 B 네, <u>열어 드릴게요</u>.

② A 한스 씨를 소개해 주세요.
　 B 네, **소개해 드릴게요**.

③ A 소라 씨 좀 바꿔 주세요.
　 B 잠깐만요, **바꿔 드릴게요**.

④ _Blackboard_
　 A 칠판에 써 주세요.
　 B 네, **써 드릴게요**.

⑤ _room is too dark_
　 A 방이 너무 어두워요.
　 B 그러세요? 그럼, 불을 **켜 드릴게요**.
　 right?　　　　_light/fire_

카드를 이용해서 말해 보세요.

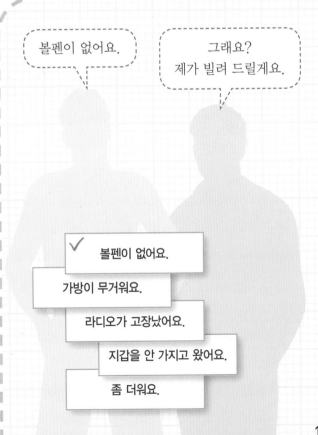

볼펜이 없어요.

그래요?
제가 빌려 드릴게요.

| ✓ | 볼펜이 없어요. |
| 가방이 무거워요. |
| 라디오가 고장났어요. |
| 지갑을 안 가지고 왔어요. |
| 좀 더워요. |

1. 글자 이름을 말해 보세요.

ㄱ 기역	ㄴ 니은	ㄷ 디귿
ㄹ 리을	ㅁ 미음	ㅂ 비읍
ㅅ 시옷	ㅇ 이응	ㅈ 지읒
ㅊ 치읓	ㅋ 키읔	ㅌ 티읕
ㅍ 피읖	ㅎ 히읗	
ㄲ 쌍기역	ㄸ 쌍디귿	ㅃ 쌍비읍
ㅆ 쌍시옷	ㅉ 쌍지읒	

2. 친구가 글자를 말해요. 그[2] 글자를 찾아보세요.

단어를 설명해 보세요.
그리고 단어의 첫 글자를 알려 주세요.

책을 이것에 넣어요.
첫 글자는 기역이에요.

가방!

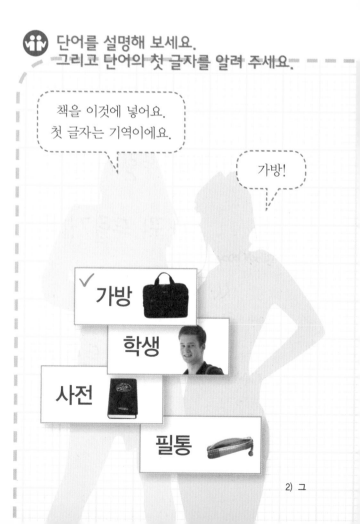

✓ 가방 🛄

학생

사전

필통

2) 그

이게 앤디 씨 우산이에요?

아니요, 제[3] 우산이 아니에요.

😃 **대답해 보세요.**

① A 한스 씨가 영국 사람이에요?
B 아니요, 영국 사람 이 아니에요 .
독일 사람이에요 .

② A 이게 커피예요?
B 아니요, 커피 가 아니에요 주스예요

③ A 이게 미나 씨 책이에요?
B 아니요, 미나 씨 .

④ A 오늘이 화요일이에요?
B 아니요, 화요일이 아니에요
월요일이에요 .

"20 questions"

👫 **스무고개를 해 보세요.**

A 여자예요? girl?
B 아니요, 여자가 아니에요. no not a woman
A 유명해요? famaw?
B 네, 유명해요. yes guy famaw
A 가수예요? singer?
B 네, 가수예요. yes its a singer
......
A 그럼, 비예요? → Rain the singer
B 맞아요! thats right

소개하기

 2

학교에서 다른 나라 친구를 처음 만났습니다[4]. 그때 여러분은 어떤 것을 물어봅니까?

이름이 어떻게 되세요?

히로미예요.

앤디　안녕하세요?

　　　저는 앤디예요. 이름이 어떻게 되세요?●

히로미　히로미예요.

　　　앤디 씨는 어느 나라에서 오셨어요?

앤디　미국에서 왔어요. 히로미 씨는요?[5]

히로미　　　　　　　　　　　　　　　　　.

▶》 이름이 어떻게 되세요
[이르미어떠케되세요]

다음을 이용해서 대화를 만들어 보세요

얼마 동안 한국어를 공부하실 거예요?

지금 어디에서 사세요?

언제 한국에 오셨어요?

왜 한국에 오셨어요?

왜 한국어를 배우세요?

4) -습니다　5) -은/는요?

처음 만난⁶⁾ 사람하고 어떻게 인사합니까?

무슨 일 하세요?

학생이에요.

지훈   처음 뵙겠습니다. 김지훈입니다.

완   안녕하세요? 저는 완이에요.

지훈   완 씨는 무슨 일 하세요?   *Won what kind of work do you do?*

완   학생이에요. 요7 대학교에서 한국어를 공부해요.   *I'm a student studying korean at york*
         Dan yeoyo

지훈   저도 요7 대학교에 다녀요.   *I'm also going to your york*

완   그러세요? 그럼, 학교에서 한번 만나요.   *Really? Let's meet up once at school*

지훈   좋아요. 제 전화번호를 가르쳐 드릴게요.
         ~~Jeon hwa pone churul~~ / *I'd like that can I have your phone number*
         Jeon hwa pone hu rul

전화번호	가르치다
이메일 주소	알리다
연락처	쓰다

6) -은

개인 정보 교환하기

 4

전화번호를 가르쳐 주려고 합니다. 그런데 상대방이 이름을 잘못 썼습니다. 어떻게 말합니까?

연락처 좀 가르쳐 주세요.

제가 써 드릴게요.

완 　 지훈 씨, 연락처 좀 가르쳐 주세요. *jihoon please give me your contact*

지훈 　 네, 전화번호를 가르쳐 드릴게요. *Yes ill give you my number info*

완 　 잠깐만요 이름을 이렇게 쓰세요? *one sec.*

지훈 　 아니요, '치읓'이 아니에요. '지읒'이에요.

　 　 제가 써 드릴게요.

완 　 감사합니다. *thank you*

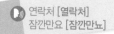
연락처 [열락처]
잠깐만요 [잠깐만뇨]

미나 　 010-9995-2051

지훈 　 010-2743-4187

자기소개를 해 보세요

준비

파티에서 사람들과[7] 인사하고 사귀어야 합니다.
어떻게 인사하실 거예요? 어떤 이야기를 하실 거예요?

무슨 일 하세요?

얼마 동안 한국어 공부하실 거예요?

언제 한국어 공부 시작하셨어요?

활동

처음 만난 사람하고 인사하세요.
자기소개를 하고 대화해 보세요.
헤어질 때 연락처를 알려 주세요.

정리 파티에서 만난 친구 한 명을 소개해 주세요.

7) -와/과

친구들한테 물어보세요.

이름이 어떻게 되세요?

연락처가 어떻게 되세요?

취미가 뭐예요?

무슨 일을 하세요?

어디에서 오셨어요?

수잔 씨와 타쿠야 씨는 어디에서 왔어요?

이름 수잔

나라 미국(재미교포)

고향 뉴욕

직업 기자

취미 영화 감상

이메일 주소 susan7@hotmail.com

이름 타쿠야

나라 일본

고향 도쿄

직업 일본어 강사

취미 음악 감상

이메일 주소 takuya82@yahoo.co.jp

📖 앤디 씨가 어디에서 왔어요? 취미가 뭐예요?

안녕하세요? 저는 앤디예요. 미국 사람이에요.

만나서 반가워요.

제 고향은 샌프란시스코예요. 샌프란시스코는

미국에서 제일 아름다운 도시라서[8] 많은 사람들이 여행을 와요.

저는 대학교에서 동아시아학을 전공해요.

대학교에서 2년 동안 한국어를 공부했지만 아직 잘 못해요.

그래서 한국어를 공부하러 한국에 왔어요.

제 취미는 운동이에요. 저는 시간이 있을 때 테니스를

치거나 농구를 해요. 미국에서 태권도를 배워서

태권도도 조금 할 줄 알아요.

그런데 요즘은 시간이 없어서 운동하지 못해요.

하지만 이제부터 태권도를 다시 시작하려고 해요.

저는 지금 신촌 하숙집에서 살아요.

하숙집이 학교에서 가까워서 편해요.

그리고 이 하숙집에는 우리 학교 학생들도 세 명 같이 살아요.

모두 친절하고 좋은 친구들이에요.

이 친구들과 같이 살 수 있어서 참 좋아요.

저는 한국에서 1년 동안 한국어와[9] 한국 문화를

공부할 거예요. 또 한국 친구들도 많이 사귀고 싶어요.

이름	앤디
나라	미국
고향	
직업	
취미	
이메일 주소	andy007@hotmail.com

💿 CD 5

가 맞으면[10) ○, 틀리면 × 하십시오[11].

1. 앤디 씨가 샌프란시스코에 여행을 가 봤어요.　　　　(　)
2. 앤디 씨는 한국어를 할 줄 몰라요.　　　　　　　　(　)
3. 앤디 씨는 요즘 운동을 많이 해요.　　　　　　　　(　)
4. 앤디 씨 하숙집이 학교에서 가까워서 편해요.　　　(　)
5. 앤디 씨는 한국에서 1년 동안 한국어를 공부할 거예요.　(　)

나 묻고 대답하십시오.

1. 앤디 씨 고향이 어떤 곳이에요?
2. 앤디 씨가 왜 한국에 왔어요?
3. 앤디 씨 취미가 뭐예요?
4. 앤디 씨 하숙집이 어때요?
5. 앤디 씨 계획을 말해 보세요.

다 소리 내서 읽으십시오. 발음

- 저는 대학교에서 동아시아학을 전공해요.
- 저는 한국에서 1년 동안 한국어와 한국 문화를 공부할 거예요.

라 다음을 이용해서 내용을 요약하십시오.

제 / 고향 / 아름답다 / 도시 / 많다 / 사람들 / 여행 / 오다
대학교 / 2년 / 한국어 / 공부하다 / 아직 / 잘 / 못하다
시간 / 있다 / 테니스 / 치다 / 농구 / 하다
하숙집 / 학교 / 가깝다 / 편하다
1년 / 한국어 / 한국 문화 / 공부하다 / 한국 친구들 / 많이 / 사귀다

마 해 봅시다.

① 종이에 이름하고 대답을 쓰세요.

1. 취미가 뭐예요?
2. 왜 한국에 왔어요?
3. 한국에서 뭐 할 거예요?
4. 지금 어디에서 살아요?
5. 고향이 어디예요?

이름 : _____

② 종이를 바구니에 넣으세요.
③ 바구니에서 다른 사람 종이 한 장을 꺼내세요.
　그리고 읽어 보세요.
④ "누구예요?" 사람을 알아맞혀 보세요.

바 써 봅시다.

본문처럼[12] 자기소개서를
써 보세요.

_____
_____

10) -으면　11) -으십시오　12) -처럼

언제부터 한국어를 공부하셨어요? 처음에 어디에서 한국어 공부를 시작하셨어요?

학생이 말하기 시험을 봐요. 그때 선생님께서 어떤 질문을 해요?

6개월 동안 공부할 거예요.

🎧 선생님이 어떤 질문을 해요? 맞는 것에 ✓ 표시하세요. 💿 CD 6

☐ 이름
☐ 취미
☐ 가족
☐ 직업

☐ 어느 나라?
☐ 집이 어디에?
☐ 언제 한국어 공부 시작?
☐ 얼마 동안 한국어 공부?

가 맞으면 ○, 틀리면 × 하십시오.

1. 데니 씨가 1주일 전에 한국에 왔어요. ( )
2. 데니 씨가 친구하고 서울 여기저기를 구경했어요. ( )
3. 데니 씨가 친척하고 한국어로 얘기해요. ( )
4. 데니 씨가 한국 문화에 관심이 있어요. ( )
5. 데니 씨가 5개월 동안 한국어를 공부할 거예요. ( )

나 묻고 대답하십시오.

1. 데니 씨가 언제 한국에 왔어요?
2. 데니 씨가 한 달 동안 뭐 했어요?
3. 데니 씨가 서울을 혼자 구경했어요?
4. 데니 씨가 왜 한국어를 공부하려고 해요?
5. 데니 씨가 얼마 동안 한국어를 공부할 거예요?

다 잘 듣고 빈칸을 채우십시오. ◉CD 7

선생님 : 서울에 친구가 있으세요?
데니 　 : 없어요. 그런데 서울에
　　　　　① _____ 이 있어서
　　　　　같이 다녔어요.
선생님 : ① _____ 들하고
　　　　　한국어로 얘기하세요?
데니 　 : 아니요, 아직 한국어를
　　　　　② _____ 영어로 얘기해요.

라 잘 듣고 따라하십시오. 발음 ◉CD 8

선생님 : 한 달 동안 뭐 하셨어요?
데니 　 : 집을 구하고, 서울 여기저기를 구경했어요.

마 다음 요약문을 완성하십시오.

데니 씨는 한 달 (ㅈ　　　)에 한국에 왔습니다. 서울에 (ㅊ　　　)이 있어서 같이 집을 (ㄱ　　)고 서울 여기저기를 구경했습니다. 데니 씨는 아직 한국어를 잘 못해서 지금은 친척하고 영어로 얘기합니다. 하지만 나중에 한국어로 얘기하고 싶습니다. 그래서 한국어를 배우려고 합니다. 그리고 한국 (ㅁ　　　)도 배우고 싶습니다. 한국에서 6(ㄱ　　　) 동안 한국어를 공부할 겁니다.

바 해 봅시다.

역할극
데니 씨와 선생님처럼 인터뷰를 해 보세요.

> 어디에서 오셨어요?

사 써 봅시다.

인터뷰에서 무슨 얘기를 했어요?
인터뷰 대화를 써 보세요.

선생님 : 이름이 어떻게 되세요?

학생 　 : 데니예요.

문법

1. 존댓말②

A 한국에 얼마 동안 계실 거예요?

B 1년 있을 거예요.

2. -아/어 드릴게요

A 연락처 좀 가르쳐 주세요.

B 네, 전화번호를 가르쳐 드릴게요.

3. -이/가 아니에요

A 이거 맞아요?

B '치읓'이 아니에요. '지읒'이에요.

단어 표현

■ 동사   ▲ 형용사   ● 명사   ◆ 부사   □ 기타/표현

대화

■ (-에) 다니다
■ 알리다
● 연락처
● 이메일 주소
□ 이름이 어떻게 되세요?
□ 어느 나라에서 오셨어요?
□ 잠깐만요.
□ 처음 뵙겠습니다.
□ 무슨 일 하세요?

읽고 말하기

■ 농구하다
■ 사귀다

■ 전공하다
▲ 아름답다
▲ 친절하다
▲ 편하다
● 고향
● 도시
● 문화
● 이제
● 취미
◆ 다시
◆ 모두
◆ 제일
◆ 또
◆ 하지만
□ 아직 잘 못해요.

□ 참 좋아요.

듣고 말하기

■ 구경하다
● 6개월
● 한 달
● 1주일
● 친척
● 여기저기
□ 들어오세요.
□ 수고하셨습니다.
□ 여기 앉으세요.
□ 죄송합니다.

 p 28

말하기

1. 학교에서 다른 나라 친구를 처음 만났습니다.
   그때 어떻게 인사해요? 어떤 것을 물어봐요?

2. 친구가 여러분 이름을 잘못 썼습니다. 어떻게 말해요?

2

수업이 끝난 다음에 뭐 하세요?

학습 목표

체육관
도서관
식당

-고 있다

p8

대답해 보세요.

① A 제임스 씨가 지금 뭐 하고 있어요?
B 텔레비전 보고 있어요.

② A 타쿠야 씨가 지금 뭐 하고 있어요?
B _____ 고 있어요.

③ A 수잔 씨가 지금 뭐 하고 있어요?
B _____.

④ A 한스 씨가 지금 뭐 하고 있어요?
B _____.

⑤ A 히로미 씨가 지금 뭐 하고 있어요?
B _____.

카드를 보고 동작을 해 보세요.

다른 친구들은 동작을 알아맞히세요.
많이 알아맞히는 사람이 이깁니다.

테니스를 치고 있어요!

춤을 추고 있어요!

✓ 테니스를 치고 있어요.

사진을 찍고 있어요.

요리를 하고 있어요.

대답해 보세요.

① A 운동해요. 그 다음에 뭐 하세요?
  B 보통 운동 <u>한 다음에</u> 저녁 식사해요.

② A 저녁에 텔레비전을 봐요. 그 다음에 뭐 하세요?
  B 저녁에 텔레비전을 _____ 가족하고 이야기해요.

③ A 어제 은행에서 돈을 찾았어요.
     그 다음에 뭐 하셨어요?
  B 은행에서 돈을 찾 _____ 선물을 샀어요.

④ A 책을 읽을 거예요. 그 다음에 뭐 하실 거예요?
  B 책을 _____ 친구를 만날 거예요.

⑤ A 오늘 점심 식사할 거예요.
     그 다음에 뭐 하실 거예요?
  B _____ .

카드를 이용해서 말해 보세요.

보통 수업이 끝난 다음에 뭐 하세요?

친구하고 같이 식사하고 숙제해요.

어제 숙제한 다음에 뭐 하셨어요?

✓ 보통 / 수업이 끝나다

어제 / 숙제하다

내일 / 아침을 먹다

35

문장을 완성해 보세요.

① 아침에 일찍 일어나려고 _____ .

　밤에 일찍 자요.　　알람 시계를 맞춰요.

② 한국 친구를 사귀려고 _____ .

　한국 사람하고 축구해요.

③ 생일 선물을 사려고 _____ .

　가게에 갔어요.

④ 사진을 찍으려고 _____ .

　카메라를 빌려요.

⑤ 약속을 잊어버리지 않으려고 _____ .

　손에 썼어요.

카드를 이용해서 이야기해 보세요.

A 왜 돈을 찾으세요?
B 친구 생일이에요. 그래서 선물 사려고 돈을 찾아요.
A 누구 생일이에요?
B 옆 반 친구요¹⁾. 지난 학기에 같이 공부했어요.

　✓　돈을 찾아요.

　　빵을 만들었어요.

　한국어를 공부해요.

　　저녁 식사를 안 해요.

　　　노트북을 샀어요.

1) -이요

🔵 9

전화를 받을 수 없는 이유 설명하기

친구와 얘기하고 있습니다. 그런데 다른 친구가 전화했습니다. 그 친구한테 어떻게 말합니까?

지금 친구하고 얘기하고 있어요.

Sept 26

앤디   여보세요. *Hello.*

제니   앤디 씨, 저 제니예요. *~~andy~~ andy, ~~im~~ im jeny*

앤디   아, 제니 씨, 안녕하세요? *jenny, hi.*

제니   앤디 씨, 지금 통화할 수 있으세요? *andy con you talk?*

앤디   미안해요. 제가 지금 친구하고 얘기하고 있어요. *yeaki hago* *sorry, I with a friend in.*

제니   그래요? 죄송해요. *really, Im sorry*

앤디   아니에요. 얘기가 끝난 다음에 제가 전화할게요.

제니   알겠어요. 기다릴게요. *→ don*

what is going on?? my brain is hurting...

다음을 이용해서 대화를 만들어 보세요

친구하고 얘기하다	얘기가 끝나다
저녁 식사하다	저녁 식사가 끝나다
회의하다	회의가 끝나다
일하다	일을 다 하다
다른 사람하고 전화하다	전화 통화를 끝내다

우연히 만난 사람과 인사하기

여러분은 학교에 일찍 옵니까? 왜 일찍 옵니까?

이리나 제니 씨, 아침 일찍 웬일이세요?

제니   운동하려고 일찍 왔어요.

        이리나 씨는 왜 일찍 오셨어요?

이리나 저는 예습하려고 일찍 왔어요.

제니   그러세요? 그럼, 이따가 교실에서 봐요!

이리나 이따가 만나요!

웬일이세요
[웬니리세요]

운동하다	예습하다
조깅하다	이메일을 확인하다
테니스를 치다	복습하다
인터넷하다	단어를 외우다
숙제하다	책을 읽다

외우다 외우다
외우다

개인 정보 교환하기

여러분은 수업이 끝난 다음에 무엇을 합니까?

투안   한스 씨는 수업이 끝난 다음에 뭐 하세요?

한스   회사에 가요. 투안 씨는 뭐 하세요?

투안   저는 요즘 시험을 준비하고 있어요.

한스   아, 그러세요?

투안   네, 한국 회사에 들어가려고 시험을 준비해요.

통역 일
[통영닐]

시험을 준비하다	한국 회사에 들어가다
중국어 학원에 다니다	중국에 가다
영어를 공부하다	통역 일을 하다
요리를 배우다	식당을 하다
열심히 공부하다	대학원에 가다

게임을 해 보세요

준비

여러분은 보통 매일 아침에 뭐 하세요? 같이 이야기해 보세요.

출발!

매일 아침에
뭐 하세요?
-은 다음에

왜 한국어를
공부하세요?
-으려고

무거운 가방을 들고
있습니다.
어떻게 말해요?
-아/어 드릴게요

문장을 만들어
보세요.
통화하다

존댓말로 바꾸세요.
자다/마시다/먹다/
말하다/있다/없다

수업이 끝난 다음에
뭐 하세요?
-은 다음에

문장을 완성하세요.
대학원/한국학/
전공하다/한국어/
배우다/있다
'출발'로 가세요!

선생님이 지금
뭐 하고 있어요?

동사를 다섯 개
말해 보세요.

교실이 덥습니다.
어떻게 말해요?
-아/어 드릴게요

형용사를 다섯 개
말해 보세요.

활동

두세 명씩 그룹을 만드세요.
그리고 100원짜리 동전을 던지세요.
100원짜리 동전 앞면이 나오면 한 칸,
뒷면이 나오면 두 칸을 가세요.
질문에 대답하세요.
대답을 못하면 '출발'로 돌아가세요.

주말에 보통
뭐 하세요?
-은 다음에

명사를 다섯 개
말해 보세요.

문장을 완성하세요!
회사/영어/한국어
/통역하다/한국어
/배우다/있다

이번 학기가
끝난 다음에 뭐
하실 거예요?

한글 자음
이름을 다섯 개
말해 보세요.

도착

춤을 추세요.

정리 같이 이야기해 보세요. 누가 게임을 제일 잘했어요?
이 게임에서 뭐가 재미있었어요? 뭐가 힘들었어요?

지각 안 하려고 일찍 일어났어요

이번 학기에 지각하셨어요?

영호 씨한테 무슨 일이 있었어요? 그림을 보고 이야기를 만들어 보세요.

📖 사장님은 왜 화가 나셨어요?

영호 씨는 스물 아홉 살 회사원입니다. 2년 전부터 회사에 다녔습니다.

그런데 영호 씨는 요즘 매일 지각합니다.

어제 아침에 사장님이 화가 나서 영호 씨한테 말했습니다.

"내일도 지각할 거예요? 그럼, 회사를 그만두세요! 다른 회사를 알아보세요."

5 그래서 영호 씨는 지각하지 않으려고 밤에 알람 시계 두 개를 맞추고 잤습니다.

오늘 아침 영호 씨는 알람 소리를 듣고 일찍 일어났습니다.

아침에 시간이 있어서 아침도 먹었습니다.

그런데 버스를 탄 다음에 너무 졸려서 잤습니다.

"이번 정류장은 광화문, 광화문입니다."

10 버스 안내 방송을 듣고 영호 씨가 눈을 떴습니다. 사람들이 버스에서 내리고 있었습니다.

"아이구!" 영호 씨는 깜짝 놀랐습니다.

"잠깐만요, 아저씨! 저 내려요. 문 좀 열어 주세요!"

영호 씨는 회사 앞에서 내릴 수 있었습니다.

"후유……."

15 영호 씨는 8시 40분에 사무실에 들어갔습니다.

"와, 영호 씨, 오늘 일찍 오셨어요!" 사무실 사람들이 깜짝 놀랐습니다.

그래서 영호 씨가 말했습니다. "오늘은 지각 안 하려고 일찍 일어났어요."

드디어 9시에 사장님이 사무실에 도착했습니다.

그런데 사장님은 영호 씨를 보고 화가 나셨습니다.

20 왜냐하면 영호 씨가 책상에서 자고 있었습니다.

가 맞으면 ○, 틀리면 × 하십시오.

1. 영호 씨는 두 달 전부터 회사에 다녔습니다.   (   )
2. 영호 씨는 어제 처음 지각했습니다.   (   )
3. 영호 씨는 오늘 지각하지 않으려고 일찍 일어났습니다.   (   )
4. 영호 씨는 광화문에서 삽니다.   (   )
5. 오늘 사장님이 영호 씨보다 일찍 회사에 도착했습니다.   (   )

나 묻고 대답하십시오.

1. 어제 아침에 사장님은 왜 화가 났습니까?
2. 영호 씨는 일찍 일어나려고 어젯밤에 어떻게 했습니까?
3. 영호 씨는 버스에서 무슨 소리를 듣고 눈을 떴습니까?
4. 영호 씨는 어디에서 내렸습니까?
5. 영호 씨는 왜 요즘 지각할까요?[2)]

다 소리 내서 읽으십시오. 발음

- 잠깐만요, 아저씨! 저 내려요.
  문 좀 열어 주세요.

라 다음을 이용해서 내용을 요약하십시오.

-으려고, -은 다음에, -고 있다

마 해 봅시다.

활동1

사장님은 오늘 영호 씨를 보고 화가 났습니다.
그 다음 이야기를 만들어 보세요.

활동2

선생님한테서[3)] 그림 카드를 받으세요.
그림 순서를 바꿔서 다른 이야기를 만들어 보

바 써 봅시다.

'마' 이야기를 써 보세요.

2) -을까요?②   3) -한테서

여기 웬일이세요?

언제 이 말을 하세요?

어!

반가워요!

제임스 씨와 리엔 씨는 같은 학교에서 한국어를 공부해요. 그런데 오늘 다른 곳에서 만났어요.

여기 웬일이세요?

🎧 리엔 씨가 왜 여기에 왔어요? ● CD 13

가 맞으면 ○, 틀리면 × 하십시오.

1. 리엔 씨는 1주일 전부터 이 학원에 다니고 있어요.   (   )
2. 제임스 씨는 작년부터 영어를 가르치고 있어요.   (   )
3. 제임스 씨는 주말에 수업이 없어요.   (   )
4. 리엔 씨는 미국에서 일하려고 영어를 배워요.   (   )
5. 두 사람은 영어 수업이 끝난 다음에 학교에 갈 거예요.   (   )

나 묻고 대답하십시오.

1. 리엔 씨는 왜 영어를 배워요?
2. 제임스 씨는 언제부터 영어를 가르쳤어요?
3. 제임스 씨는 어떤 학생들[4]을 가르쳐요?
4. 제임스 씨와 리엔 씨는 어떤 약속을 했어요?
5. 리엔 씨는 영어 수업 시간에 왜 놀랐어요?

다 잘 듣고 빈칸을 채우십시오. CD 14

리엔 : 언제부터 영어를 가르치셨어요?
제임스 : ① _____.
리엔 : 매일 수업이 있으세요?
제임스 : 네, 월요일부터 토요일까지 수업이 있어요.
　　　　주중에는 ② _____ 들을 가르치고
　　　　주말에는 아이들을 가르쳐요.

라 잘 듣고 따라하십시오. 억양 CD 15

제임스 : 여기 웬일이세요?
리엔 : 어! 제임스 씨,
　　　　제임스 씨는 여기 웬일이세요?

마 다음 요약문을 완성하십시오.

리엔 씨가 오늘부터 (ㅎ　　　　)에서 영어 수업을 들을 겁니다. 리엔 씨는 중국에 돌아간 다음에 큰 무역 회사에 (ㄷ　　　　)려고 영어를 배웁니다. 그런데 리엔 씨는 오늘 영어 학원에서 같은 학교 친구 제임스 씨를 만났습니다. 제임스 씨는 그 학원에서 영어를 가르치고 있습니다. 제임스 씨는 "(ㅈ　　　　)에는 어른들을 가르치고 주말에는 (ㅇ　　　　)들을 가르쳐요."라고 말했습니다[5]. 두 사람은 영어 수업이 (ㄲ　　　　) 다음에 같이 학교에 갈 겁니다.

바 해 봅시다.

역할극 반 친구들을 우연히 다른 장소에서 만났어요. 대화를 해 보세요.

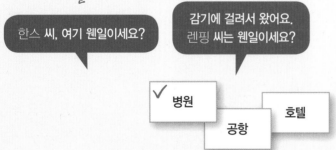

한스 씨, 여기 웬일이세요?

감기에 걸려서 왔어요. 렌핑 씨는 웬일이세요?

✓ 병원
공항
호텔

사 써 봅시다.

리엔 씨 이야기를 써 보세요.
리엔 씨는 오늘부터 영어를
배우려고 학원에 갔어요.
그런데…….

[4] -들　[5] "……"라고 말하다

문법

1. -고 있다
A 지금 통화할 수 있으세요?
B 미안해요. 지금 회의하고 있어요.

2. -은 다음에
A 수업 끝난 다음에 뭐 하실 거예요?
B 점심 먹고 도서관에 갈 거예요.

3. -으려고
A 왜 한국어를 배우세요?
B 한국 사람하고 이야기하려고 배워요.

단어 표현

■ 동사   ▲ 형용사   ● 명사   ◆ 부사   □ 기타/표현

대화

■ 복습하다
■ 예습하다
■ 조깅하다
■ 준비하다
■ 통화하다
■ 회의하다
● 대학원
● 통역
◆ 이따가
□ 단어를 외우다
□ 식당을 하다
□ 이메일을 확인하다
□ 일을 다 하다
□ 회사에 들어가다
□ 알겠어요.
□ 웬일이세요?

□ A 죄송해요.
  B 아니에요.

읽고 말하기

■ 그만두다
■ 놀라다
■ 알아보다
■ 졸리다
■ 지각하다
■ 화가 나다
● 사무실
● 사장님
● 스물 아홉 살
● 알람 소리
◆ 드디어
□ 깜짝 놀라다
□ 눈을 뜨다

□ 버스에서 내리다
□ 알람 시계를 맞추다

듣고 말하기

■ 등록하다
● 말하기
● 매일
● 아이
● 어른
● 올해
● 주중
● 학원
□ 둘 다
□ 수업을 듣다
□ 그럼요.
□ 저도요.

 p28

말하기

1. 친구가 여러분한테 전화했습니다.
   그런데 여러분은 다른 일을 하고 있어서 통화할 수 없습니다.
   그때 어떻게 말해요?

2. 보통 수업이 끝난 다음에 뭐 해요? 오늘은 뭐 할 거예요?

3

친구 만나서
영화를 봤어요

학습 목표

-을 때

📖 p 10

공부해요.
그때 음악을 들어요?

네, 공부할 때 음악을 들어요.

💬 **대답해 보세요.**

① A 숙제해요. 그때 사전이 필요해요?
　B 네, ___숙제할 때___ 사전이 필요해요.

② A 집에 가요. 그때 친구하고 같이 가세요?
　B 네, 집에 _____ 친구하고 같이 가요.

✪ ③ A 불고기를 만들어요. 그때 참기름을 넣어요?
　B 네, 불고기를 _____.

④ A 언제 앤디 씨가 전화했어요?
　B _____.
　　어제 식사하다

⑤ A 언제 수영하러 갈까요?
　B _____.
　　다음에 시간이 있다

👥 **같이 이야기해 보세요.**

언제 기분이 좋아요?

친구하고 얘기할 때
기분이 좋아요.

	친구1	친구2
기분이 좋다	친구하고 얘기	
화가 나다		
말을 안 하다		
힘들다		
(　　　　)		

먹기 전에 손을 씻으세요.

😊 **질문해 보세요.**

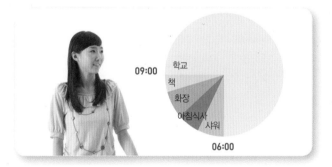

09:00
학교
책
화장
아침식사
샤워
06:00

① **A** 미나 씨가 학교에 가기 전에 뭐 해요?
   B 책을 읽어요.

② **A** 책을 읽_____?
   B 화장해요.

③ **A** _____?
   B 아침을 먹어요.

④ **A** _____?
   B 샤워해요.

👫 **카드를 이용해서 말해 보세요.**

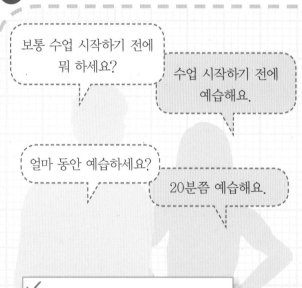

보통 수업 시작하기 전에
뭐 하세요?

수업 시작하기 전에
예습해요.

얼마 동안 예습하세요?

20분쯤 예습해요.

✓ 보통 수업 시작하기 전에 뭐 하세요?

이번 학기가 끝나기 전에 뭐 하고 싶어요?

고향에 돌아가기 전에 뭐 하고 싶어요?

오늘 학교에 오기 전에 뭐 하셨어요?

친구를 만나요.
그 친구하고 같이 뭐 하세요?

친구를 만나서 같이
영화를 봐요.

대답해 보세요.

1. **A** 집에 가서 뭐 하세요?
   B <u>집에 가서</u> 텔레비전을 봐요.

2. **A** 학교에 일찍 와서 뭐 하세요?
   B _____ 예습해요.

3. **A** 아침에 일어나서 뭐 하세요?
   B _____ 물 마셔요.

4. **A** 지난 주말에 친구 만나서 뭐 하셨어요?
   B _____ 농구했어요.

5. **A** 어제 집에 가서 뭐 하셨어요?
   B _____ .

같이 이야기해 보세요.

아침에 일어나서
뭐 하세요?

아침에 일어나서
신문을 봐요.

	친구1	친구2
아침에 일어나다	신문을 봐요	
보통 친구를 만나다		
오늘 아침에 학교에 오다		
오늘 집에 가다		

16

일상생활 이야기하기

친구 생활을 알고 싶습니다. 어떻게 말합니까?

집에 가서 뭐 하세요?

숙제하고 인터넷해요.

앤디   제니 씨는 보통 몇 시에 집에 가세요?

제니   3시에 가요.

앤디   집에 가서 뭐 하세요?

제니   숙제하고 인터넷해요.

인터넷해요 [인터네태요]

다음을 이용해서 대화를 만들어 보세요

보통	....	집에 가다
보통	....	학교에 오다
보통	....	일어나다
어제	....	집에 갔다
어제	....	학교에 왔다

숙제하다

인터넷하다

방을 정리하다

텔레비전을 보다

간식을 먹다

음악을 듣다

빨래하다

쉬다

지난 주말 이야기하기

지난 주말에 대해서 이야기하고 싶습니다. 어떻게 말합니까?

일요일에 뭐 하셨어요?

한스 일요일에 뭐 하셨어요?

소라 친구 만나서 영화를 봤어요. 한스 씨는요?

한스 저는 에버랜드에 가서 놀았어요.

소라 재미있었어요?

한스 네, 재미있었어요.

　　　그런데 돌아올 때 길이 많이 막혔어요.

 막혔어요 [마켜써요]

돌아오다	길이 많이 막히다
집에 오다	교통이 복잡하다
에버랜드에서 떠나다	비가 많이 오다
서울에 들어오다	차가 고장나다
한강대교를 지나다	시간이 많이 걸리다

55

과거 일 이야기하기

한국어를 공부하기 전에 뭐 하셨습니까?

한국어를 공부하기 전에
뭐 하셨어요?

대학교에 다녔어요.

지훈 앤디 씨는 한국어를 공부하기 전에 뭐 하셨어요?

앤디 대학교에 다녔어요.

지훈 대학교에 다닐 때 _____?

앤디 _____.

사업했어요 [사어패써요]

한국어를 공부하다	대학교에 다니다
한국어를 배우다	영어를 가르치다
한국에 오다	일본에 있다
사업하다❶	방송국에서 일하다
한국에서 일하다	멕시코에서 살다

반 친구에 대해서 알아보세요

준비

여러분은 한국어를 배우기 전에 뭐 하셨어요?
메모해 보세요.

활동

친구들한테 물어보세요.
친구들 대답을 메모하세요.

이름	한국어를 배우기 전에?	그때?	-기 전에?	그때?	-기 전에?	그때?
수잔	미국, 회사	사람들, 많이	대학교	아르바이트, 공부	고등학교	운동, 놀았어요
타쿠야						

수잔 씨, 한국어를 배우기 전에 뭐 하셨어요?

미국에서 회사에 다녔어요.

그때 어떠셨어요?

사람들을 많이 만날 수 있어서 재미있었어요.

정리 누구 이야기가 제일 재미있었어요?
재미있는 이야기를 발표해 보세요.

제니 씨는 엘리베이터를 타지 않아요

친한 친구 이름이 뭐예요? 그 친구를 소개해 보세요.

앤디 씨가 누구를 소개해요?

제니 씨는 호주 사람이에요.

지훈 씨예요. 서강대학교 학생이에요

타쿠야 씨는 일본에서 왔어요.

📖 앤디 씨 친구들은 어떤 습관이 있어요?

　타쿠야 씨는 일본에서 왔어요. 타쿠야 씨는 하숙집 사람들한테 인사를 잘해요.

저는 한국에 와서 타쿠야 씨한테서 여러 가지 인사말을 배웠어요. 제가

인사말을 가르쳐 드릴게요.

아침에 일어나서 "안녕히 주무셨어요?" 라고 해요. 그리고 밤에 자기 전에

"안녕히 주무세요." 라고 해요. 또 식사를 하기 전에 하숙집 아주머니한테

"잘 먹겠습니다." 라고 하고, 식사를 다 한 다음에는 "잘 먹었습니다." 라고

해요. 학교에 갈 때 "잘 다녀오겠습니다." 라고 하고, 저녁에 돌아와서

"다녀왔습니다." 라고 해요.

제니 씨는 호주 사람이에요. 제니 씨한테

건강이 아주 중요해요. 그래서 항상 운동해요.

아침에 일어나서 보통 조깅을 해요. 하지만

비가 올 때에는 집에서 운동해요. 그리고

제니 씨는 집에서 학교까지 자전거로 다녀요.

교실이 8층에 있지만[1] 엘리베이터를 타지 않고

계단으로 올라가요.

제니 씨는 저녁을 먹은 다음에 산책해요. 그리고

자기 전에 15분 동안 스트레칭해요.

지훈 씨는 한국 사람이에요. 서강 대학교에

다녀요. 지훈 씨는 깨끗한 것을 좋아해요.

지훈 씨는 손을 자주[2] 씻어요. 음식을 먹기

전에 언제나 손을 씻어요.

또 집에 돌아와서 제일 먼저 손을 씻어요.

그리고 지훈 씨는 자주 이를 닦아요.

음식을 먹은 다음에 언제나 이를 닦아요.

오후에 간식을 먹은 다음에도 이를 닦아요.

또 지훈 씨는 청소와 정리를 잘해요.

지훈 씨는 보통 자기 전에 방을 정리해요.

주말에는 언제나 청소해요.

CD 19

1) -지만 2) 자주

가 알맞은 것을 찾아서 줄을 그으십시오[3].

항상 운동해요 •

인사를 잘해요 •

깨끗한 것을
좋아해요 •

• "안녕히 주무세요."

• 8층까지 계단으로 올라가요.

• "잘 먹었습니다."

• 이를 자주 닦아요.

• 자기 전에 스트레칭해요.

• 손을 자주 씻어요.

나 묻고 대답하십시오.

1. 앤디 씨는 타쿠야 씨한테서 어떤 인사말을 배웠어요?
2. 지훈 씨는 어떤 습관이 있어요?
3. 제니 씨는 생활 습관이 어때요?
4. 제니 씨는 왜 엘리베이터를 타지 않아요?
5. 여러분은 세 사람 중에서 누가[4] 제일 마음에 들어요? 왜요?

다 소리 내서 읽으십시오. 끊어 읽기

• 교실이 8층에 있지만 제니 씨는 엘리베이터를 타지 않고 계단으로 올라가요.

라 다음을 이용해서 내용을 요약하십시오.

저 / 한국 / 오다 / 타쿠야 씨 / 여러 가지 인사말 / 배우다
아침 / 일어나다 / "안녕히 주무셨어요?" / 하다
식사하다 / 하숙집 아주머니 / "잘 먹겠습니다." / 하다

 타쿠야

제니 씨 / 건강 / 아주 / 중요하다 / 항상 / 운동하다
아침 / 일어나다 / 보통 / 조깅하다
집 / 학교 / 자전거 / 다니다

 제니

지훈 씨 / 음식 / 먹다 / 언제나 / 손 / 씻다
음식 / 먹다 / 언제나 / 이 / 닦다
보통 / 자다 / 방 / 정리하다

 지훈

마 해 봅시다.

여러분의 하루 생활을
이야기해 보세요.
그리고 친구의 하루
생활을 들어 보세요.

1. 일어나서 학교에 오기 전까지 :
2. 학교에 와서 수업 시간에 :
　　　　　　　쉬는 시간에 :
3. 수업이 끝난 다음부터 저녁 먹기 전까지 :
4. 저녁을 먹은 다음부터 자기 전까지 :

바 써 봅시다.

여러분의 하루 생활을 써 보세요.
쓸 때 다음 표현을 이용하세요.

-기 전에, -은 다음에, -을 때, -고, -아/어서 ②

3) 긋다 (시옷 불규칙)   4) 누가

번지 점프를 했어요

주말을 어떻게 보내세요?

앤디 씨는 주말에 보통 뭐 해요?

🎧 앤디 씨와 제니 씨가 지난 주말에 뭐 했어요?　　CD 20

가 맞는 것에 ✓표시하십시오.

두 사람은 주말을 어떻게 보냈어요?

앤디

- ☐ 재미있었어요.
- ☐ 산책했어요.
- ☐ 번지 점프를 했어요.
- ☐ 번지 점프가 위험했어요.
- ☐ 뛰어내릴 때 무서웠어요.

제니

- ☐ 놀이 공원에서 놀았어요.
- ☐ 동물원에 갔어요.
- ☐ 점심을 못 먹었어요.
- ☐ 일찍 갔다 왔어요.
- ☐ 돌아올 때 길이 막혀서 힘들었어요.

나 묻고 대답하십시오.

1. 앤디 씨는 주말을 어떻게 보냈어요?
2. 앤디 씨는 번지 점프를 할 때 무서웠어요?
3. 제니 씨는 에버랜드에 가서 뭐 했어요?
4. 제니 씨는 왜 놀이 공원에 일찍 갔다 왔어요?
5. 마지막에 앤디 씨가 "이번 주 일요일에요?" 라고
   말했어요. 왜 그렇게 말했어요?

다 잘 듣고 빈칸을 채우십시오. ◎CD 21

앤디 : 그렇게 일찍 나왔어요?
제니 : 네, 오후에는 에버랜드에 사람이
　　　너무 많아서 ① ＿＿＿＿＿＿.
　　　그리고 서울에 ② ＿＿＿＿＿＿.
　　　길이 많이 막혀요.
앤디 : 아, 그래요?
제니 : 앤디 씨도 에버랜드에 갈 때
　　　아침 일찍 ③ ＿＿＿＿＿＿.

라 잘 듣고 따라하십시오. 끊어 말하기 ◎CD 22

• 아침 일찍 가서 9시에 문을 열 때 들어갔어요.
• 놀이 공원에서 놀고 동물원에 가서 구경하고 12시쯤 나와서 점심 먹었어요.

마 다음 요약문을 완성하십시오.

앤디 씨는 주말에 분당에 (ㄱ　　　)서 번지 점프를 했습니다.
번지 점프가 위험하지 않았습니다. 앤디 씨는 뛰어내릴 때 (ㅁ　　　)지 않았습니다.
앤디 씨는 "뛰어내릴 때 정말 기분이 좋았어요."라고 말했습니다.
제니 씨는 주말에 친구하고 에버랜드에 갔다 왔습니다.
아침 일찍 9시에 문을 (ㅇ　　　) 때 들어갔습니다.
그리고 12시에 (ㄴ　　　)서 점심을 먹었습니다.
왜냐하면 오후에는 서울에 돌아올 때 길이 많이 (ㅁ　　　).

바 해 봅시다.

활동1
제니 씨와 앤디 씨처럼 대화를 해 보세요.

활동2
에버랜드에 가 봤어요?
가서 뭐 하고 싶어요?
누구하고 가고 싶어요?

사 써 봅시다.

재미있는 주말 이야기를
써 보세요.

알아요!

문법

1. -을 때

A 학교에 올 때 비가 왔어요?

B 아니요, 안 왔어요.

2. -기 전에

A 저녁 식사하기 전에 뭐 하세요?

B 뉴스를 봐요.

3. -아/어서②

A 일요일에 뭐 하셨어요?

B 친구 만나서 같이 농구했어요.

단어 표현

■ 동사　▲ 형용사　● 명사　◆ 부사　□ 기타/표현

대화

■ (-이/가) 고장나다
■ 놀다
■ 돌아오다
■ 떠나다
■ 빨래하다
■ 사업하다
■ 정리하다
● 간식
● 방송국
□ 길이 막히다
□ 대학교에 다니다
□ 한강대교를 지나다

읽고 말하기

■ 스트레칭하다
■ 씻다
■ 인사하다
▲ 깨끗하다
▲ 중요하다
● 손
● 여러 가지
◆ 언제나
◆ 자주
◆ 항상
□ 계단으로 올라가다
□ 엘리베이터를 타다
□ 이를 닦다
□ 다녀오겠습니다.
□ 다녀왔습니다.
□ 안녕히 주무세요.

□ 안녕히 주무셨어요?
□ 잘 먹겠습니다.
□ 잘 먹었습니다.

듣고 말하기

■ 나오다
■ 뛰어내리다
▲ 무섭다
▲ 위험하다
● 놀이 공원
● 동물원
◆ 진짜
□ 문을 열다
□ 주말 잘 보냈어요?

p 29

말하기

1. 하루 생활을 이야기해 보세요.

2. 요즘 한국어를 공부해요. 한국어를 공부하기 전에 뭐 배웠어요?
   무슨 일 했어요?

4

2호선을 타면
인사동에 갈 수 있어요?

학습 목표

-으면

 p 11

지하철을 타세요.
지하철을 타면 빨리 갈 수 있어요.

친구를 만나러 시청 앞에 가야 해요.
어떻게 가야 해요?

BUS | 서강대 앞

132 신촌 2

132 신 촌 2

질문해 보세요.

① A <u>택시를 타면</u> 빨리 갈 수 있어요?
　　택시를 타다

B 아니요, 이 시간에는 지하철이 더 빨라요.

② A ＿＿＿＿＿＿＿＿＿ 같이 식사할까요?
　　회의가 일찍 끝나다

B 네, 좋아요.

③ A ＿＿＿＿＿＿＿＿＿ 뭐 하고 싶어요?
　　돈이 생기다

B 여행을 가고 싶어요.

대답해 보세요.

① A 언제 눈이 아파요?

B ＿＿＿＿＿＿＿＿＿＿＿＿ .
　　오랫동안 책을 읽다

② A 언제 옛날 친구가 보고 싶어요?[1]

B ＿＿＿＿＿＿＿＿＿＿＿＿ .
　　✪ 옛날 음악을 듣다

카드를 이용해서 말해 보세요.

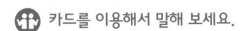

밤에 잘 수 없으면 어떻게 하세요?

밤에 잘 수 없으면 어려운 책을 읽어요.

밤에 잘 수 없다

1) -이/가 보고 싶다

질문해 보세요.

① A 지금 버스를 타려고 해요.
　이 시간에 <u>교통이 복잡할까요</u> ?
　　　　　교통이 복잡하다
　B 글쎄요, 잘 모르겠어요.

② A 중국어를 배우려고 해요.
　_____ ?
　중국어 공부가 재미있다
　B 글쎄요, 잘 모르겠어요.

③ A 이번 주말에 등산 가려고 해요.
　_____ ?
　날씨가 좋다
　B 글쎄요, 잘 모르겠어요.

④ A 이번 주 금요일에 말하기 시험이 있어요.
　_____ ?
　✪ 시험이 어렵다
　B 글쎄요, 잘 모르겠어요.

카드를 이용해서 질문을 만들어 보세요.

여기가 어디일까요?

글쎄요.

-을 거예요 ②

📖 p 13

😀 **대답해 보세요.**

❶ **A** 미나 씨한테 주려고 꽃을 샀어요.
미나 씨가 꽃을 좋아할까요?
B 네, 아마 <u>좋아할 거예요</u> .

❷ **A** 저 시계를 사고 싶어요. 저 시계가 비쌀까요?
B 네, 아마 ＿＿＿＿＿＿＿＿ .

❸ **A** 이리나 씨가 지금 도서관에 있을까요?
B 네, 아마 ＿＿＿＿＿＿＿＿ .

❹ **A** 앤디 씨가 아침에 일찍 일어날까요?
B 아니요, 아마 ＿＿＿＿＿＿＿ .

✪❺ **A** 요즘 호주 날씨가 추울까요?
B 아니요, 아마 ＿＿＿＿＿＿＿ .

👥 **같이 이야기해 보세요.**

앤디 씨가
춤을 잘 출까요?

네, 아마
춤을 잘 출 거예요.

	친구1	친구2
앤디 **씨가 춤을 잘 추다**	○	
이번 **시험이 쉽다**		
한스 **씨가 매운 음식을 먹다**		
( )		

📖 p 13

-다가①

학교에 어떻게 오세요?

버스로 오다가
지하철로 갈아타요.

👓 **그림 카드를 이용해서 말해 보세요.**

① 공부하다가 TV를 봐요.

② _____ 자요.

③ _____ 쉬어요.

👥 **카드를 이용해서 이야기해 보세요.**
이런 경험이 있어요?

친구를 만나러 가다가 돌아왔어요.
약속 시간을 잘못 알았어요.

영화를 보다가 극장에서 나왔어요.
약속이 생각났어요.

친구하고 이야기하다가 싸웠어요.
친구가 기분 나쁜 말을 했어요.

공연을 보다가 잤어요.
공연이 재미없었어요.

교통 이용에 대한 정보 구하기

 23

교통 상황을 알고 싶습니다. 어떻게 말합니까?

> 이 시간에 버스를 타면 길이 많이 막힐까요?

앤디   수잔 씨, 제가 지금 인사동에 가려고 해요.

        이 시간에 버스를 타면 길이 많이 막힐까요?

수잔   네, 많이 막힐 거예요.

        그러니까[2] 지하철을 타고 가세요.

앤디   지하철로 가면 얼마나 걸릴까요?

수잔   30분쯤 걸릴 거예요.

다음을 이용해서 대화를 만들어 보세요

길이 많이 막히다

교통이 많이 복잡하다

차가 많이 밀리다

시간이 많이 걸리다

사람이 많다

2) 그러니까

24

교통 안내하기

지하철로 목적지에 가는³⁾ 방법을 알고 싶습니다. 어떻게 말합니까?

2호선을 타면 인사동에 갈 수 있어요?

가다가 한 번 갈아타야 돼요.

지하철

앤디   지훈 씨, 2호선을 타면 인사동에 갈 수 있어요?

지훈   아니요, 가다가 한 번 갈아타야 돼요.

앤디   어디에서 갈아타요?

지훈   을지로 3가에서요.

        거기에서 3호선으로 갈아탄 다음에 안국 역에서 내리세요.

앤디   감사합니다.

3) -는

명동

상암 월드컵경기장

교보문고

고속버스 터미널

길 묻고 설명하기

앤디	저기 죄송한데요, 이 근처에 은행 있어요?
아주머니	네, 있어요.
앤디	어떻게 가야 돼요?
아주머니	이 길로4) 쭉 가면 사거리가 나와요.
	사거리에서 오른쪽으로 가면 있어요.
	백화점 건너편에 있어요.
앤디	여기서 멀어요?
아주머니	아니요, 가까워요.
앤디	감사합니다.

4) -으로

사거리에서 오른쪽, 백화점 건너편

사거리에서 왼쪽, 꽃집 건너편

사거리에서 오른쪽, 백화점 옆

사거리에서 왼쪽, 꽃집 옆

사거리를 지나면 오른쪽

사거리를 지나기 전, 왼쪽

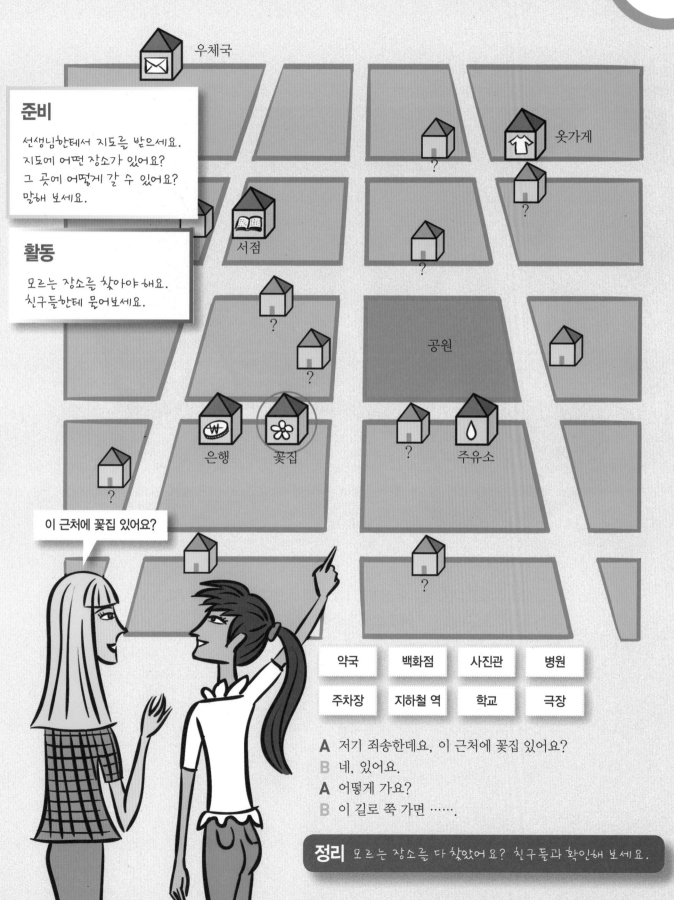

우체국

옷가게

서점

공원

은행 꽃집 주유소

준비

선생님한테서 지도를 받으세요.
지도에 어떤 장소가 있어요?
그 곳에 어떻게 갈 수 있어요?
말해 보세요.

활동

모르는 장소를 찾아야 해요.
친구들한테 물어보세요.

이 근처에 꽃집 있어요?

| 약국 | 백화점 | 사진관 | 병원 |
| 주차장 | 지하철 역 | 학교 | 극장 |

A 저기 죄송한데요, 이 근처에 꽃집 있어요?
B 네, 있어요.
A 어떻게 가요?
B 이 길로 쭉 가면 ……

정리 모르는 장소를 다 찾았어요? 친구들과 확인해 보세요.

어떤 선물을 하면 좋을까요?

여러분은 어떤 생일 선물을 받고 싶어요?

이번 주 토요일은 미나 씨 생일입니다. 그래서 앤디 씨가 고민합니다.
어떤 선물이 좋을까요?

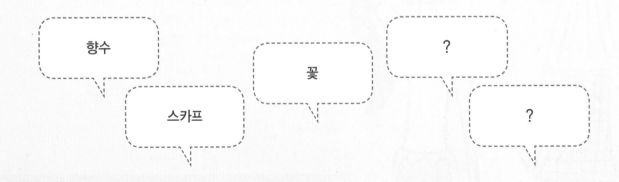

📖 앤디 씨가 어떤 선물을 준비했어요? 왜 그 선물을 준비했어요?

앤디 씨는 미나 씨를 좋아합니다. 앤디 씨는 한 달 전에 미나 씨를 처음 봤습니다.

앤디 씨는 미나 씨가 마음에 들어서 또 만나고 싶었습니다.

그런데 오늘 아침 앤디 씨는 미나 씨한테서 전화를 받았습니다. 이번 주 토요일이 미나 씨 생일입니다. 미나 씨가 앤디 씨를 저녁 식사에 초대했습니다. 전화를 받은 후에 앤디 씨는 기분이 좋았습니다. 미나 씨한테 멋있는 생일 선물을 주고 싶었습니다.

하지만 좋은 선물이 생각나지 않았습니다. 앤디 씨는 하숙집 친구들한테 물어봤습니다. "미나 씨한테 어떤 선물을 하면 좋을까요?" 하숙집 친구들이 앤디 씨한테 여러 가지 선물을 추천해 줬습니다. "향수를 선물하면 좋아할 거예요." "시계를 선물하면 좋을 거예요." "미나 씨는 스카프를 좋아해요. 그러니까 스카프를 선물하세요." 오후에 앤디 씨는 선물을 사러 갔습니다. 가게에 가서 스카프도 보고 시계도⁵⁾ 봤습니다. 그런데 스카프와 시계는 마음에 안 들어서 향수를 샀습니다.

5) -도 …… -도

📖 앤디 씨한테 무슨 문제가 생겼어요?

쇼핑을 끝낸 다음에 앤디 씨는 기분이 좋아서 집으로 돌아왔습니다. 그런데 문제가 생겼습니다. 저녁 때 친한 친구가 미국에서 전화를 했습니다. 그 친구는 이번 주 토요일 저녁에 앤디 씨를 만나러 한국에 올 겁니다. 그 친구는 한국에 다른 친구가 없습니다. 그리고 한국말도 할 줄 모릅니다. 그래서 앤디 씨가 공항에 마중 나가야 합니다. 그런데 앤디 씨는 미나 씨 생일 파티에도 꼭 가고 싶습니다. 그래서 앤디 씨는 지금 고민하고 있습니다.

CD 26

가 순서를 찾으십시오.

(4) ➡ ( ) ➡ ( ) ➡ ( ) ➡ ( )

1. 앤디 씨는 백화점에 가서 미나 씨 선물을 샀습니다.
2. 오늘 아침에 미나 씨가 앤디 씨한테 전화해서 앤디 씨를 저녁 식사에 초대했습니다.
3. 앤디 씨는 미국 친구한테서 전화를 받고 고민합니다.
4. 앤디 씨는 미나 씨를 한 달 전에 처음 만났습니다.
5. 앤디 씨는 좋은 생일 선물이 생각나지 않아서 하숙집 친구들한테 물어봤습니다.

나 묻고 대답하십시오.

1. 앤디 씨는 오늘 아침에 왜 기분이 좋았습니까?
2. 앤디 씨 하숙집 친구들은 어떤 선물을 추천했습니까?
3. 앤디 씨는 오후에 무엇을 했습니까?
4. 저녁 때 앤디 씨 친구가 전화해서 뭐라고 했습니까?
5. 앤디 씨는 왜 고민하고 있습니까?
6. 앤디 씨는 어떻게 할까요? 🧠

다 소리 내서 읽으십시오. 발음

- 앤디 씨는 좋은 선물이 생각나지 않았습니다.
  그래서 하숙집 친구들한테 물어봤습니다.
- 하숙집 친구들이 여러 가지 선물을 추천해 줬습니다.

라 다음을 이용해서 내용을 요약하십시오.

앤디 씨 / 미나 씨 / 좋아하다 / 다시 / 만나다
오늘 / 아침 / 앤디 씨 / 미나 씨 / 전화 / 받다
이번 주 / 토요일 / 미나 씨 / 생일 / 미나 씨 / 앤디 씨 / 저녁 식사 / 초대하다
앤디 씨 / 오후 / 생일 선물 / 사다 / 가다
저녁 / 앤디 씨 / 미국 친구 / 앤디 씨 / 전화하다
이번 주 / 토요일 / 친구 / 한국 / 오다 / 공항 / 마중 나가다
앤디 씨 / 지금 / 고민하다

마 해 봅시다.

역할극

1. 앤디 씨가 미나 씨 전화를 받아요.
2. 앤디 씨가 미국 친구 전화를 받아요.
3. 앤디 씨가 하숙집 친구하고 얘기해요.

미나 씨 생일 파티에 가야 해요.
그런데 공항에도 가야 해요.
어떻게 하면 좋을까요?

바 써 봅시다.

'마' 이야기를 대화로 써 보세요.

택시를 자주 타세요?

택시를 타면 택시 기사한테 어떻게 말하세요?

미나 씨가 어디에 가려고 해요?　CD 27

가　찾아보십시오.

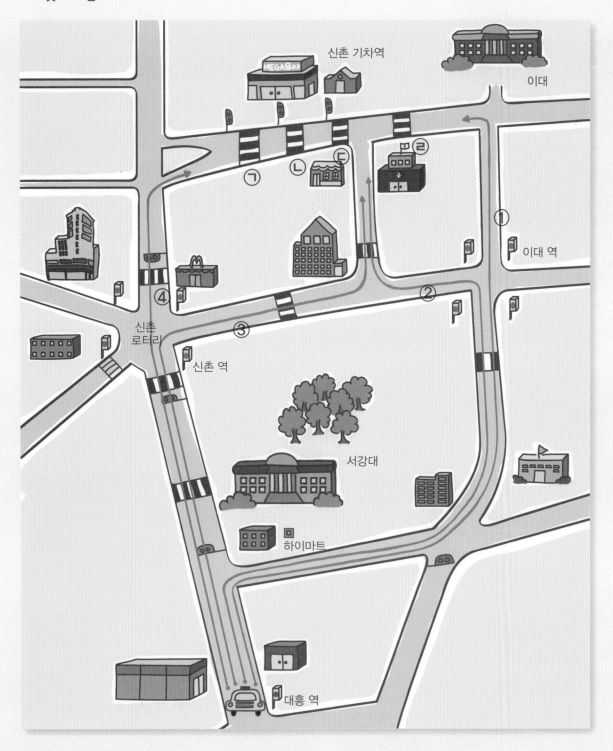

1. 택시가 어느 길로 갔어요?

①　②　③　④

2. 미나 씨가 어디에서 내렸어요?

㉠　㉡　㉢　㉣

나 알맞은 답을 찾으십시오.

1. 택시 기사가 왜 빨리 갈 수 없어요?
   ① 퇴근 시간이라서 길이 막혀요.
   ② 교통 사고가 나서 길이 막혀요.

2. 택시비가 얼마예요?
   ① 4,300원　　② 4,400원

다 잘 듣고 빈칸을 채우십시오. ◖CD 28

미나　　　 : 아저씨, 저기 ① _____ 에서
　　　　　　오른쪽으로 들어가세요.
　　　　　　그쪽으로 가면 빨리 갈 수 있어요.
택시 기사 : 저기 하이마트 ② _____ 요?
미나　　　 : 네, 그리고 쭉 가세요.
택시 기사 : 네.

라 잘 듣고 따라하십시오. [억양] ◖CD 29

미나 : 아저씨, 죄송하지만 좀 빨리 가 주세요.
　　　제가 약속 시간에 늦어서 그래요[6].

마 다음 요약문을 완성하십시오.

미나 씨가 메가박스에 가려고 택시를 탔습니다.
미나 씨가 택시 기사한테 길을 알려 줍니다.

신호등에서 오른쪽 (ㅇ　　　) 들어가세요.
그리고 쭉 가세요.
큰길이 (ㄴ　　　)면 왼쪽으로 가세요.
사거리를 지나서 쭉 (ㄱ　　　) 이대 정문이 나오면 다시 왼쪽으로 가세요.
기차역 지나서 첫 번째 (ㅎ　　　)에서 세워 주세요.

바 해 봅시다.

역할극

신촌 기차역까지 다른 길로 가고 싶습니다.
택시 기사에게 다른 길로 가는 방법을
설명해 보세요.

사 써 봅시다.

대흥 역에서 메가박스에 가는 길을
써 보세요.

6) -아/어서 그래요

문법

1. -으면

A 지하철을 타면 빨리 갈 수 있어요?
B 네, 버스보다 지하철이 빨라요.

2. -을까요? ②

A 여기에서 명동까지 시간이 얼마나 걸릴까요?
B 글쎄요, 잘 모르겠어요.

3. -을 거예요 ②

A 지금 은행에 가면 사람이 많을까요?
B 네, 아마 많을 거예요.

4. -다가 ①

A 이 근처에 약국 있어요?
B 네, 이 길로 가다가 사거리에서 왼쪽으로 가세요.

단어 표현

■ 동사   ▲ 형용사   ● 명사   ◆ 부사   □ 기타/표현

대화	읽고 말하기	듣고 말하기
● 건너편	■ 고민하다	■ (-으로) 들어가다
● 꽃집	■ (-이/가) 생각나다	■ 세우다
● 사거리	■ (-에) 초대하다	● 기차역
● 사진관	■ 추천하다	● 신호등
● 주유소	● 선물	● 옆길
● 주차장	● 스카프	● 정문
● 편의점	● 향수	● 첫 번째
● 화장품 가게	□ 마음에 들다	● 퇴근 시간
◆ 그러니까	□ 마중 나가다	● 택시 기사
□ 쭉 가다	□ 전화를 받다	● 횡단보도
□ 차가 밀리다	□ 문제가 생겼습니다.	◆ 저기
□ 저기 죄송한데요.		□ 큰길이 나오다
		□ 그 다음은요?
		□ 다 왔습니다.
		□ 여기요. p 30

말하기

1. 약속 장소에 지하철로 가고 싶습니다.
   갈아타는 방법을 알고 싶을 때 어떻게 물어봐요?

2. 모르는 사람한테 길을 물어봐야 합니다. 어떻게 말해야 해요?

5

오늘은 바쁘니까
내일 가요

학습 목표

-는 것

 p 14

축구하는 것을 좋아하세요?
축구 보는 것을 좋아하세요?

저는 축구 보는 것을 좋아해요.

질문하고 대답해 보세요.

미나　텔레비전　보는 것　을 좋아하세요?
　　　음악　듣는 것　을 좋아하세요?

앤디　텔레비전　보는 것　을 좋아해요.

✓ 텔레비전을 보다　　음악을 듣다

이메일을 쓰다　　전화하다

지하철을 타다　　버스를 타다

집에서 쉬다　　친구들하고 놀다

이야기를 하다　　이야기를 듣다

좋아하는 것을 세 개 써 보세요.
그리고 같은 것을 좋아하는 사람을
찾아보세요.

저는 춤 추는 것, 노래하는 것,
조용한 곳에서 산책하는 것을 좋아해요.
앤디 씨는 어떤 것을 좋아하세요?

저는 _____
_____
_____.

📖 p 14

-기로 했어요 ①

오늘 오후에 시간 있어요?

미안해요. 약속이 있어요.
친구하고 같이 공부하기로 했어요.

3일 (월)	4일 (화)	5일 (수)	6일 (목)	7일 (금)	8일 (토)	9일 (일)
오후, 친구하고 공부	오후 3시, 타쿠야, 테니스 (테니스장)	오후 4시, 친구, 마중(공항)	오후 3시, 제니, 영화 (신촌 극장)	저녁 6시, 이리나, 시험공부(교실)	오전 11시 반, 친구들, 여행	

👥 대답해 보세요.

내일 오후 3시에
시간 있어요?
↓
그럼, 수요일 오후는
어때요?
↓
목요일에는
만날 수 있어요?
↓
그럼, 금요일은요?
↓
토요일은 어때요?
↓
그럼, 일요일에는
시간이 있어요?

타쿠야 씨하고
테니스 치기로 했어요.
↓
미안해요.
_____.
↓
미안해요.
_____.
↓
미안해요.
_____.
↓
정말 미안해요.
_____.
↓
네, 일요일에는
약속이 없어요.

👥 친구하고 약속을 만들어 보세요.

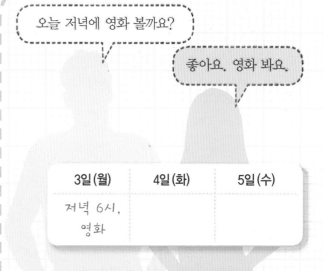

오늘 저녁에 영화 볼까요?

좋아요. 영화 봐요.

3일 (월)	4일 (화)	5일 (수)
저녁 6시, 영화		

다른 친구한테 그 약속을 이야기해 보세요.

매일 약속이 있어요. 월요일에 영화 보기로 했어요.
화요일에 _____ 기로 했어요.
수요일에 _____.

이거 재미있어요?

아니요, 재미없어요.
재미없으니까 보지 마세요.

🗣 대답해 보세요.

1 A 금요일에 같이 여행 갈 수 있어요?
   B 네, 금요일에 쉬니까
      같이 여행 갈 수 있어요 .
      금요일에 쉬어요. 그러니까 같이 여행 갈 수 있어요.

2 A 자전거 타러 같이 여의도 공원에 가요.
   B 네,   나가요.
      날씨가 좋아요. 그러니까

3 A 지금 약속이 있어서 명동에 가야 해요.
     어떻게 가는 것이 좋아요?
   B
      길이 막혀요. 그러니까 지하철을 타고 가세요.

4 A 저 교실에 들어갈 수 있어요?
   B
      지금 수업하고 있어요. 그러니까 들어가지 마세요.

5 A 차를 마실까요?
   B 좋아요. 점심을
     차를 마셔요.   ⭐ 먹었어요. 그러니까

👥 '–으니까'를 이용해서 식사 약속을 해 보세요.

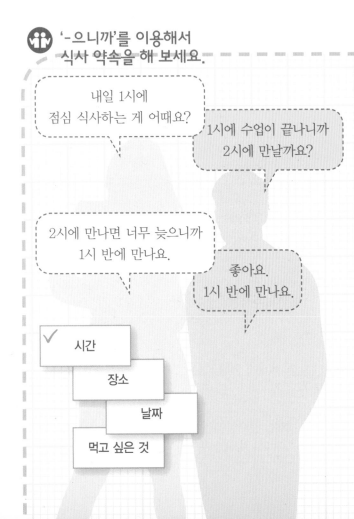

내일 1시에
점심 식사하는 게 어때요?

1시에 수업이 끝나니까
2시에 만날까요?

2시에 만나면 너무 늦으니까
1시 반에 만나요.

좋아요.
1시 반에 만나요.

✓ 시간

장소

날짜

먹고 싶은 것

대답해 보세요.

① A 좀 쉴까요?
　B 네, 좀 <u>쉽시다</u>.

② A 여기에서 사진 찍을까요?
　B 좋아요. _____.

⭐③ A 좀 걸을까요?
　B 네, _____.

④ A 저 영화를 볼까요?
　B 저 영화는 무서우니까 <u>보지 맙시다</u>.

⑤ A 여기에서 선물을 살까요?
　B 여기는 너무 비싸니까 _____.

친구와 약속을 만들어 보세요.

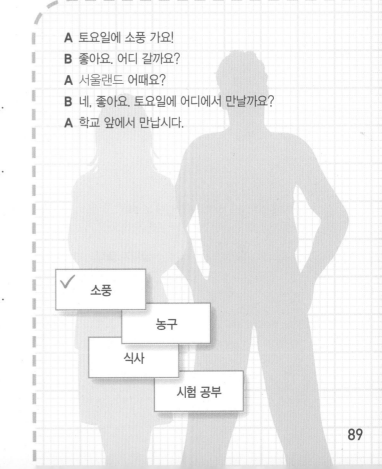

A 토요일에 소풍 가요!
B 좋아요. 어디 갈까요?
A 서울랜드 어때요?
B 네, 좋아요. 토요일에 어디에서 만날까요?
A 학교 앞에서 만납시다.

✓ 소풍

농구

식사

시험 공부

89

제안하기

 30

여러분은 날씨가 좋을 때 무엇을[1] 합니까?
그것을 친구와 같이 하고 싶을 때 친구한테 어떻게 말합니까?

한스 미나 씨, 날씨가 좋으니까 자전거 타러 가요!

미나 좋아요. 어디에서 탈까요?

한스 한강 공원에서 타는 게 어때요?

미나 그래요. 거기로 갑시다.

다음을 이용해서 대화를 만들어 보세요

날씨가 좋다	자전거를 타다
시간이 있다	조깅하다
휴일이다	축구하다
시험이 끝났다	농구하다
운동하고 싶다	배드민턴을 치다

1) 무엇

거절하기

친구가 여러분과 약속을 하고 싶어합니다[2].
하지만 여러분이 다른 약속이 있으면 어떻게 이야기해야 할까요?

오늘 같이 축구 보러 가요.

오늘은 다른 친구하고
만나기로 했어요.

앤디 미나 씨, 축구 보는 것을 좋아하세요?

미나 네, 왜요?

앤디 그럼, 오늘 같이 축구 보러 가요!

미나 미안해요. 오늘은[3] 다른 친구하고 만나기로 했어요.

앤디 그럼, 다음에 같이 갑시다.

미나 네, 다음에 갈 때 꼭 알려 주세요.

축구 보다	만나다
스케이트 타다	영화 보다
놀이 기구 타다	등산 가다
테니스 치다	전시회에 가다
춤 추다	시험 공부하다

2) -고 싶어하다   3) -은/는

32

친구가 여러분과 같이 영화를 보고 싶어합니다. 하지만 여러분은 오늘 다른 일이 있습니다.
그때 어떻게 말합니까?

> 오늘은 바쁘니까 내일 가요.

> 오늘 같이 영화 보러 갈 수 있어요?

타쿠야   오늘 같이 영화 보러 갈 수 있어요?

미나   오늘은 바쁘니까 내일 가요!

타쿠야   좋아요. 그럼, 내일 무슨 영화 볼까요?

미나   〈슈퍼맨〉 어때요?

타쿠야   그건 제가 지난주에 봤으니까 다른 영화 봐요!

미나   그럼, 〈클래식〉 볼까요?

타쿠야   좋아요. 그 영화 봅시다.

바쁘다

시간이 없다

다른 약속이 있다

공부해야 하다

할 일이 많다

할 일이
[할리리]

준비

다음 1주일이 방학입니다.
옆 친구하고 같이 약속을 만들어 보세요.

월요일	화요일	수요일	목요일		금요일	토요일	일요일	
		인천 공항				수잔, 저녁 식사		

활동

다른 친구를 만나서 다른 약속을 만드세요.

등산 갈까요?

운동하기로 했어요.

A 토요일에 시간 있어요? 같이 등산 갈까요?
B 미안해요. 그날 투안 씨하고 운동하기로 했어요.
A 그래요? 그럼, 일요일은 어때요?
B 일요일은 약속이 없으니까……

정리 같이 이야기해 보세요. 누가 약속이 제일 많아요?

저는 춤 추는 것을 좋아해요

한국 젊은 사람들이 좋아하는 취미 생활입니다. 여러분도 해 보고 싶으세요?

여러분은 취미가 뭐예요? 얼마나 자주 취미 생활을 하세요?

📖 앤디 씨는 시간이 있을 때 뭐 하는 것을 좋아해요?

저는 운동을 아주 좋아해요. 미국에서는 시간이 있을 때마다 농구를 했어요. 요즘에는 수업이 끝난 다음에 헬스클럽에 가서 운동해요. 월요일부터 금요일까지 매일 한 시간 동안 운동해요. 그리고 태권도도 배우고 있어요. 학교 태권도 동아리 친구들이 저한테 태권도를 가르쳐 줘요. 월·수·금 3시부터 4시까지 학교 체육관에서 배워요. 태권도를 배우고 싶으세요? 그럼, 저하고 같이 배웁시다.

앤디

저는 영화 보는 것을 아주 좋아해요. 그래서 시간이 날 때마다[4] 극장에 영화 보러 가요. 하숙집 근처에 극장이 여러 개 있어서 편해요. 보통 친구하고 같이 가지만, 친구가 시간이 없을 때에는 혼자 보러 가요. 기분이 나쁠 때에는 코미디 영화를 보고, 기분이 좋을 때에는 만화 영화를 봐요. 한국 영화도 보고 싶어요. 한국 영화를 보면 한국어와 한국 문화를 둘 다 배울 수 있어서 좋아요. 혹시[5] 이번 주에 약속이 없으세요? 그럼, 저하고 영화 봐요!

제니

소라

저는 춤 추는 것을 좋아해요. 춤을 추면 정말 신나요. 요즘은 홍대 앞에서 라틴 댄스를 배우고 있어요. 그런데 주중에는 수업이 많이 있어서 춤을 추러 갈 수 없어요.

그래서 주말마다 춤을 추러 가요. 춤을 추면 기분 나쁜 일을 다 잊어버릴 수 있어요. 라틴 댄스는 정말 재미있어요. 라틴 댄스를 배우고 싶으세요? 그럼, 저하고 같이 배우는 게 어때요?

 CD 33

가 알맞은 것을 찾아서 줄을 그으십시오. 누구 이야기예요?

- 동아리 친구들한테서 태권도를 배워요.
- 춤을 추면 정말 신나요.
- 시간이 날 때마다 영화 보러 가요.
- 미국에서 시간이 있을 때마다 농구를 했어요.
- 하숙집 근처에 극장이 여러 개 있어서 편해요.
- 월·수·금 3시에 학교 체육관에서 태권도를 배워요.
- 요즘 라틴 댄스를 배우고 있어요.
- 기분이 좋을 때 만화 영화를 봐요.

4) -마다 5) 혹시

나 묻고 대답하십시오.

1. 앤디 씨는 요즘 어떤 운동을 해요?
2. 제니 씨는 어떤 영화를 봐요?
3. 한국 영화를 보면 뭐가 좋아요?
4. 소라 씨는 왜 주말에 춤을 추러 가요?
5. 소라 씨는 왜 춤 추는 것을 좋아해요?

다 소리 내서 읽으십시오. 발음

• 주중에는 수업이 많이 있어서 춤을 추러 갈 수 없어요.
  그래서 주말마다 춤을 추러 가요.
  춤을 추면 기분 나쁜 일을 다 잊어버릴 수 있어요.

라 다음을 이용해서 내용을 요약하십시오.

1. 앤디   운동 / 좋아하다 / 수업 / 끝나다 / 헬스클럽 / 가다 / 운동하다
          동아리 / 친구들 / 앤디 씨 / 태권도 / 가르치다
          월·수·금 / 3시 / 학교 / 체육관 / 태권도 / 배우다
2. 제니   영화 / 보다 / 좋아하다
          친구 / 시간 / 없다 / 혼자 / 영화 / 보다 / 가다
          기분 / 나쁘다 / 코미디 영화 / 보다 / 기분 / 좋다 / 만화 영화 / 보다
3. 소라   춤 / 추다 / 좋아하다
          주말 / 춤 / 추다 / 홍대 / 앞 / 가다
          춤 / 추다 / 기분 / 나쁘다 / 일 / 다 / 잊어버리다

마 해 봅시다.

활동1

반 친구들 취미를 알아보세요.
그리고 취미가 같으면 약속을 만드세요.

제니 씨,
영화 보는 거 좋아하세요?

네, 주말에 자주 영화를 봐요.

그럼, 이번 주말에
같이 영화 보러 갈까요?

활동2

취미 생활에 대해서 이야기해 보세요.
여덟 문장을 말해야 해요.

바 써 봅시다.

여러분 취미는 뭐예요?
친구 취미는 뭐예요?
취미 생활에 대해서 써 보세요.

어떤 영화를 좋아하세요?

여러분은 어떤 영화를 보고 싶으세요?

한스 씨는 어떤 영화를 보고 싶어해요?

🎧 두 사람은 어떤 영화를 볼까요?　 💿 CD 34

가 맞으면 ○, 틀리면 × 하십시오.

1. 완 씨는 무서운 영화를 좋아해요.   (   )
2. 〈링〉에는 장동건 씨가 나와요.   (   )
3. 〈태극기〉는 표가 다 팔렸어요.   (   )
4. 요즘 〈타이타닉〉이 인기가 많아요.   (   )
5. 완 씨는 지난주에 타쿠야 씨하고 〈타이타닉〉을 봤어요.   (   )

나 묻고 대답하십시오.

1. 완 씨와 한스 씨는 〈링〉을 보기로 했어요?
2. 완 씨는 왜 〈태극기〉를 보고 싶어했어요?
3. 완 씨와 한스 씨는 왜 〈태극기〉를 볼 수 없었어요?
4. 마지막에 한스 씨가 "뭐라고요?" 라고 했어요. 왜 그렇게 말했어요? 🧠
5. 한스 씨는 완 씨와 같이 〈타이타닉〉을 볼 수 있을까요? 🧠

다 잘 듣고 빈칸을 채우십시오. 💿 CD 35

한스 : 완 씨, 어떻게 하지요? 표가 다 ① _____ .
완   : 다음 ② _____ 도 없어요?
한스 : 네, 다음 ② _____ 도 다 ① _____ .

라 잘 듣고 따라하십시오. 역양 💿 CD 36

• 좋은 영화가 많은데요!
  뭐 보는 게 좋을까요?
• 뭐라고요? 타쿠야 씨하고요?

마 다음 요약문을 완성하십시오.

완 씨와 한스 씨는 영화를 보러 (ㄱ   )에 갔습니다. 완 씨는 (ㅁ   ) 영화를 싫어해서 〈링〉을 보고 싶어하지 않았습니다. 그래서 두 사람은 〈태극기〉를 보기로 했습니다. 그 영화에는 유명한 (ㅂ   )가 나옵니다. 그런데 영화 표가 다 (ㅍ   )서 볼 수 없었습니다. 다음 (ㅎ   )도 표가 없었습니다. 한스 씨는 완 씨한테 말했습니다. "〈타이타닉〉을 보는 게 어때요?" 하지만 완 씨는 타쿠야 씨하고 그 영화를 보기로 해서 한스 씨하고 볼 수 없었습니다.

바 해 봅시다.

역할극
완 씨와 한스 씨가 다른 극장에 갔어요.
두 사람의 대화를 해 보세요.

사 써 봅시다.

완 씨와 한스 씨의 이야기를 써 보세요.

문법

1. -는 것
A 노래하는 것 좋아하세요?
B 아니요, 좋아하지 않아요.

2. -기로 했어요 ①
A 이번 주말에 영화 볼까요?
B 미안해요. 이번 주말에 친구하고 여행 가기로 했어요.
   다음에 같이 봐요.

3. -으니까 ①
A 날씨가 좋으니까 같이 테니스 쳐요.
B 좋아요.

4. -읍시다
A 어디에서 만나는 게 좋을까요?
B 지하철 역에서 만납시다.

단어 표현

■ 동사   ▲ 형용사   ● 명사   ◆ 부사   □ 기타/표현

대화

- ● 자전거
- ● 전시회
- ● 휴일
- □ 놀이 기구를 타다
- □ 배드민턴을 치다
- □ 스케이트를 타다
- □ 할 일이 많다

읽고 말하기

- ■ 신나다
- ● 동아리
- ● 라틴 댄스
- ● 만화 영화
- ● 헬스클럽
- □ 시간이 나다

듣고 말하기

- ▲ 유명하다
- ● 인기
- ● 포스터
- ● 표
- ● 회
- □ 그 영화에 누가 나와요?
- □ 다 팔렸어요.
- □ 뭐라고요?
- □ 어떻게 하지요? p30

말하기

1. 친구하고 같이 영화를 보거나 운동하고 싶습니다. 친구한테 어떻게 말해야 해요?

2. 친구가 오늘 저녁에 여러분하고 같이 영화를 보고 싶어합니다.
   그런데 여러분은 다른 약속이 있습니다. 그러면 어떻게 말해야 해요?

6

여기
앉아도 돼요?

-아/어도 되다

 p 16

저……, 여기 앉아도 돼요?

네, 앉으세요.

👀 **질문해 보세요.**

① A 펜 좀 <u>써도 돼</u> 요?
　　　　☆ 쓰다
　 B 네, 그러세요.

② A 방이 어두워요. 불 좀 ＿＿＿＿＿＿？
　 B 네, 그러세요.　　켜다

③ A 방이 더워요. 창문 좀 ＿＿＿＿＿＿？
　 B 네, 그러세요.　　열다

④ A 목이 말라요¹⁾. 물 좀 ＿＿＿＿＿＿？
　 B 네, 그러세요.　　마시다

⑤ A 중요한 약속이 있어요. 지금 ＿＿＿＿＿？
　 B 네, 그러세요.　　가다

👫 **카드를 이용해서 이야기해 보세요.**

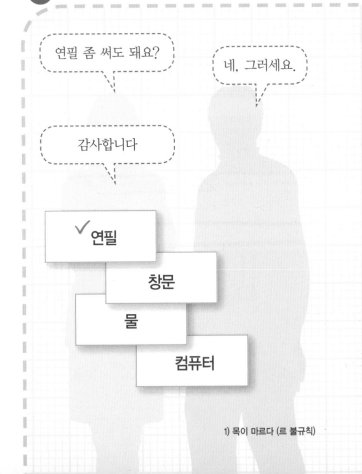

연필 좀 써도 돼요?

네, 그러세요.

감사합니다

✓ 연필

창문

물

컴퓨터

1) 목이 마르다 (르 불규칙)

사진 찍어도 돼요?

아니요, 사진 찍으면 안 돼요.

대답해 보세요.

① A 여기에서 전화해도 돼요?
　 B 아니요, 여기에서 <u>전화하면 안 돼요</u>.

② A 수업 시간에 물 마셔도 돼요?
　 B 네, 수업 시간에 ＿＿＿＿＿＿＿.

③ A 수업 시간에 음식을 먹어도 돼요?
　 B 아니요, 수업 시간에 ＿＿＿＿＿.

④ A 수업 시간에 문자 메시지 보내도 돼요?
　 B 아니요, 수업 시간에 ＿＿＿＿＿.

✪⑤ A 음악 들어도 돼요?
　 B 아니요, ＿＿＿＿＿＿＿＿＿.

카드를 이용해서 이야기해 보세요.

도서관에서 이야기해도 돼요?

아니요, 도서관에서 이야기하면 안 돼요.

✓ 도서관

버스

화장실

(형용사) - 은데요

📖 p 17

우리 간식 먹을까요?

배가 안 고픈데요.

👀 **대답해 보세요.**

① A 지금 같이 얘기할 수 있어요?
　 B 미안해요. 지금 좀 <u>바쁜데요</u> .
　　　　　　　　　　　　 바쁘다

② A 시간 있으면 커피 한잔할까요?
　 B 미안해요. 오늘은 _____ .
　　　　　　　　　　 일이 많다

③ A 이 옷 어때요? 살까요?
　 B 좀 _____ .
　　　 비싸다

④ A 오늘 일을 끝낼 수 있어요?
　 B _____ .
　 ✪ 힘들다

⑤ A 이 우산 좀 빌려 주세요.
　 B 제 우산이 _____ .
　　　　　　　 아니다

👥 **카드를 이용해서 이야기해 보세요.**

등산할까요?

다리가 아픈데요.

일이 많은데요.

다리가 아프다

등산할까요?

작다

이 신발 어떠세요?

어렵다

문법 수업이 쉬워요?

지하철 역까지 걸어서 갈까요?

멀다

오후에 같이 축구해요.

축구 잘 못하는데요.

👀 **대답해 보세요.**

① A 밖에 나가서 산책할까요?
  B 지금 비가 <u>오는데요</u> .
   오다

② A 영화 보러 가요!
  B 영화 안 _____ .
   좋아하다

③ A 같이 갈비 먹으러 가요!
  B 저는 고기를 안 _____ .
   먹다

📱 ……▶ ☎

① A 소라 씨 좀 바꿔 주세요.
  B 소라 씨가 지금 _____ .
   없다

② A 한스 씨가 지금 어디에 있어요?
  B 조금 전에 집에 _____ .
   갔다

👫 **카드를 이용해서 이야기해 보세요.**

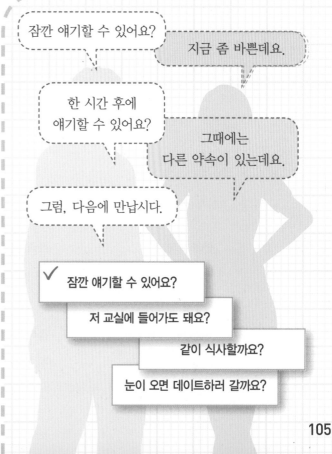

잠깐 얘기할 수 있어요?

지금 좀 바쁜데요.

한 시간 후에 얘기할 수 있어요?

그때에는 다른 약속이 있는데요.

그럼, 다음에 만납시다.

✓ 잠깐 얘기할 수 있어요?

저 교실에 들어가도 돼요?

같이 식사할까요?

눈이 오면 데이트하러 갈까요?

105

허락 구하기

사용 허락을 받으려고 합니다. 그때 어떻게 말합니까?

이 펜 좀 써도 돼요?

리엔　저, 이 펜 좀 써도 돼요?

직원　네, 쓰세요.

리엔　저, 펜이 안 나오는데요.

직원　그래요? 그럼, 다른 펜 빌려 드릴게요.

리엔　감사합니다.

안내 책자 [안내책짜]

다음을 이용해서 대화를 만들어 보세요

펜을 쓰다 …… 펜이 안 나오다		다른 펜 빌려 주다
안내 책자를 보다 …… 영어를 잘 모르다		중국어 안내 책자를 주다
팩스를 사용하다 …… 팩스가 안 되다		도와주다
프린터를 사용하다 …… 종이가 없다		갖다 주다
메모지를 쓰다 …… 한 장 더 필요하다		더 주다

여기는 통화하면 안 되는 장소입니다. 통화하는 사람을 보면 어떻게 말합니까?

여기에서 통화하면 안 돼요.

아저씨   저기요, 여기에서 통화하면 안 돼요.

앤디   그래요? 죄송합니다.

아저씨   휴게실에 가 보세요. 거기에서는[2] 통화해도 돼요.

앤디   네, 알겠습니다.

여기에서 통화하다

여기에서 큰 소리로 얘기하다

여기에서 음식을 먹다

여기에서 담배를 피우다

여기에 광고를 붙이다

2) -에서는

허락하기

일이 있어서 학교에서 일찍 나가야 합니다. 그때 선생님께[3] 어떻게 말합니까?

한 시간 일찍 가도 될까요?

한스	선생님, 오늘 한 시간 일찍 가도 될까요?
선생님	왜요? 무슨 일이 있어요?
한스	공항에 친구를 마중 나가야 하는데요.
선생님	그럼, 할 수 없지요.❶ 그렇게 하세요.

할 수 없지요
[할쑤업찌요]

오늘 한 시간 일찍 가다	공항에 친구를 마중 나가야 하다
내일 한 시간 늦게 오다	병원에 가야 하다
1주일 동안 결석하다	출장을 가다
숙제를 나중에 내다	요즘 회사에 일이 많다
인터뷰 날짜를 연기하다	그날 회사에서 중요한 회의가 있다

3) -께

친구 생각을 알아보세요

준비

밤 늦게[4] 친구 집에 전화해도 돼요?
여러분의 생각을 말해 보세요.

활동

선생님한테서 질문 카드를 받으세요.
친구들의 생각을 물어보고 대답을 메모하세요.

✓ 처음 만날때 나이를 물어보다

라면을 먹을 때 소리내다

남자가 남자하고 손을 잡고 걸어가다

아니요, 물어보면 안 돼요.

우리나라에서는 물어봐도 돼요.

처음 만날 때 나이 물어봐도 돼요?

정리 같이 이야기해 보세요.
우리 반 친구들이 어떻게 생각해요?
여러분 생각하고 같아요? 달라요?

4) -게

이것을 알아 두세요

한식을 자주 드세요?

여러분 나라하고 같아요? 달라요?

ㄱ 밥과 국을 숟가락으로 먹어요.

ㄴ 나이가 많은 사람이 먼저 식사를 시작해요.

ㄷ 찌개가 한 그릇에 나와요.

ㄹ 식당에 가면 반찬과 물이 무료예요.

ㅁ 식사할 때 코를 풀면 안 돼요.

📖 제목을 ㉠~㉤에서 찾으세요.

1

㉠ 밥과 국을 숟가락으로⁵⁾ 먹어요.

한국에서는 식사할 때 숟가락과 젓가락을 모두 사용해요. 밥과 국을 먹을 때에는 숟가락을 사용하고 반찬을 먹을 때에는 젓가락을 사용해요. 그리고 그릇을 손에 들고⁶⁾ 먹으면 안 돼요. 이것이 일본하고 중국과 달라요.

2

한국에서는 친한 사람들끼리⁷⁾ 식사하면 찌개를 한 그릇에 같이 먹어요. 이렇게 먹는 것이 싫으면 개인 접시를 사용해도 돼요. 하지만 국은 한 그릇에 같이 먹지 않아요.

3

한국에서는 나이가 중요해요. 그래서 식사할 때에도 나이 많은 사람이 식사를 시작한 다음에 먹어야 해요. 그리고 나이가 많은 사람이 식사를 끝내기 전에 나이가 어린 사람이 자리에서 일어나면 안 돼요.

4

한국 사람들은 식사할 때 식탁에서 코를 풀지 않아요. 식사할 때 코를 푸는 것은 예의가 아니에요. 코를 풀고 싶으면 잠깐 다른 곳으로 가야 해요.

5

한국에서는 식당에 가면 반찬과 물이 무료예요. 그러니까 반찬과 물을 시키지 않아도 돼요. 그리고 반찬이나 물이 더 필요하면 식당 종업원한테 말씀하세요. 그러면 더 갖다 줄 거예요.

🔊 CD 40

5) -으로   6) -고   7) -끼리

가 맞으면 ○, 틀리면 × 하십시오.

1. 한국에서 식사할 때에는 밥 그릇을 손에 들고 먹어야 돼요.　(　)
2. 친한 사람들끼리 국을 한 그릇에 같이 먹어요.　(　)
3. 식당에서 반찬과 물을 더 먹으면 돈을 내야 해요.　(　)
4. 나이가 많은 사람이 먼저 식사를 시작해요.　(　)
5. 한국에서 식사할 때 코를 푸는 것은 예의가 아니에요.　(　)

나 묻고 대답하십시오.

1. 한국에서는 언제 숟가락을 사용해요?
2. 한국에서는 찌개를 언제나 한 그릇에 같이 먹어요?
3. 한국 식당에서는 반찬을 시켜야 해요?
4. 한국에서는 나이 많은 사람과 식사할 때 어떻게 해야 해요?
5. 한국에서는 식사할 때 코를 풀어도 돼요?

다 소리 내서 읽으십시오. 끊어 읽기

- 한국에서는 친한 사람들끼리 식사하면 찌개를 한 그릇에 같이 먹어요.
- 한국 사람들은 식사할 때 식탁에서 코를 풀지 않아요.

라 다음을 이용해서 내용을 요약하십시오.

숟가락, 젓가락	밥 / 국 / 먹다 / 숟가락 / 사용하다 / 반찬 / 먹다 / 젓가락 / 사용하다
찌개	친하다 / 사람들 / 찌개 / 한 / 그릇 / 같이 / 먹다
나이	나이 / 많다 / 사람 / 먼저 / 식사 / 시작하다
코	식사하다 / 코 / 풀다 / 예의 / 아니다
식당	식당 / 반찬 / 물 / 무료 / 나오다

마 해 봅시다.

여러분 나라의 식사 예절,
식당 문화에 대해서
같이 이야기해 보세요.

바 써 봅시다.

여러분 나라의 식사 예절은 어때요?
어떤 것을 해도 돼요? 어떤 것을 하면 안 돼요?
여러분 나라의 식사 예절에 대해서 써 보세요.

여러분은 1주일에 한국어 수업을 몇 시간 들으세요?

수업에서 무엇을 해도 돼요? 무엇을 하면 안 돼요?

- [ ] 음료수를 마셔도 돼요?
- [ ] 샌드위치를 먹어도 돼요?
- [ ] 노트북을 사용해도 돼요?
- [ ] 사전을 봐도 돼요?
- [ ] 껌을 씹어도 돼요?
- [ ] 화장실에 가도 돼요?

제니 씨가 친구한테 한국어 학교에 대해서 이야기합니다.
제니 씨 학교에 어떤 규칙이 있어요?

CD 41

가 맞는 것에 ✓표시하십시오.

1. 제니 씨는 한국어 수업을 1주일에 스무 시간 (㉠ 들어요. ㉡ 해요.)
2. 9시 수업은 선택이니까 (㉠ 들어야 해요. ㉡ 안 들어도 돼요.)
3. 제니 씨 학교는 말하기 연습을 많이 해서 (㉠ 수업이 재미없어요. ㉡ 수업 분위기가 자유로워요.)
4. 제니 씨 학교에서는 (㉠ 20% 이상 결석하면 안 돼요. ㉡ 30% 이상 결석하면 안 돼요.)
5. 제니 씨 학교에서는 졸업식이 끝난 다음에 다 같이 (㉠ 노래 공연을 해요. ㉡ 식사를 해요.)

나 묻고 대답하십시오.

1. 제니 씨 학교에서 1주일에 수업 시간이 몇 시간이에요?
2. 제니 씨 학교 한국어 수업이 어때요? (학생 수, 수업 분위기)
3. 제니 씨 학교에는 어떤 규칙이 있어요?
4. 제니 씨 학교에서는 바쁜 학생들이 어떻게 해요?
5. 제니 씨 학교 졸업식이 어때요? 설명해 주세요.

다 잘 듣고 빈칸을 채우십시오. 🔘CD 42

스티브 : 제니 씨 학교에서는 1주일에 수업이
　　　　 몇 시간이에요?
제니 　 : ① ＿＿＿＿＿＿ 시간이요.
　　　　 9시부터 1시까지 ② ＿＿＿＿＿＿ 공부해요.
　　　　 그런데 9시 수업은 ③ ＿＿＿＿＿＿ 이니까
　　　　 안 들어도 돼요.

라 잘 듣고 따라하십시오. 발음 끊어 읽기 🔘CD 43

- 나중에 졸업식 할 때 한번 오세요. 연극이나 노래 공연을 하니까 재미있을 거예요. 그리고 졸업식이 끝난 다음에 다 같이 식사하니까 그때 다른 사람 이야기도 들어 보세요.

마 다음 요약문을 완성하십시오.

제니 씨는 9시부터 1시까지 한국어 수업을 (ㄷ　　　　). 하지만 9시 수업은 (ㅅ　　　　)이니까 안 들어도 괜찮습니다. 수업 시간에는 말하기 연습을 많이 해서 수업이 재미있고 (ㅂ　　　　)가 자유롭습니다. 그러나 20% 이상 (ㄱ　　　　)면 안 됩니다. 그래서 바쁜 사람들은 (ㄱ　　　　) 수업을 듣습니다. 스티브 씨는 (ㅈ　　　　)에 가서 다른 학생들 얘기를 들어 보려고 합니다.

바 해 봅시다.

"한 학기에 20% 이상 결석하면 안 돼요."
이 규칙에 대해서 여러분 생각을 말해 보세요.

> 열심히 공부하면 20% 이상 결석해도 돼요.
> 그러니까 이런 규칙은 필요 없어요.

> 아니에요.
> ……

사 써 봅시다.

학교 규칙을 써 보세요.
좋은 점과 나쁜 점도 쓰세요.

학습 목표

문법

1. -아/어도 되다
A 창문 좀 열어도 돼요?
B 그럼요.

2. -으면 안 되다
A 여기에서 음식을 먹으면 안 돼요.
B 아, 네. 죄송합니다.

3. (형용사) -은데요, (동사) -는데요
A 에어컨을 켤까요?
B 별로 안 더운데요.

A 밖에 나가서 배드민턴 칠까요?
B 지금 비가 오는데요.

단어 표현

■ 동사　▲ 형용사　● 명사　◆ 부사　□ 기타/표현

대화

■ 갖다 주다
■ 결석하다
■ 붙이다
■ 사용하다
■ 연기하다
● 광고
● 그날
● 날짜
● 메모지
● 안내 책자
● 팩스
● 휴게실
□ 숙제를 내다
□ 출장을 가다
□ 팩스가 안 되는데요.

□ 할 수 없지요.

읽고 말하기

▲ (-이/가) 필요하다
● 국
● 무료
● 반찬
● 밥
● 숟가락
● 식탁
● 예의
● 젓가락
● 찌개
● 개인 접시
◆ 그러면
□ 나이가 어리다
□ 손에 들다

□ 음식이 나오다
□ 자리에서 일어나다
□ 코를 풀다

듣고 말하기

● 개인 수업
● 공연
● 규칙
● 분위기
● 선택
● 스무 시간
● 연극
● 졸업식
□ 수업을 듣다
□ 20% 이상
□ 분위기가 자유로워요.

p 31

말하기

1. 볼펜이 없어서 다른 사람 볼펜을 잠깐 사용하려고 해요.
그 사람한테 어떻게 말해요?

2. 여러분 나라에서 어른하고 같이 있을 때 뭐 해도 돼요?
뭐 하면 안 돼요?

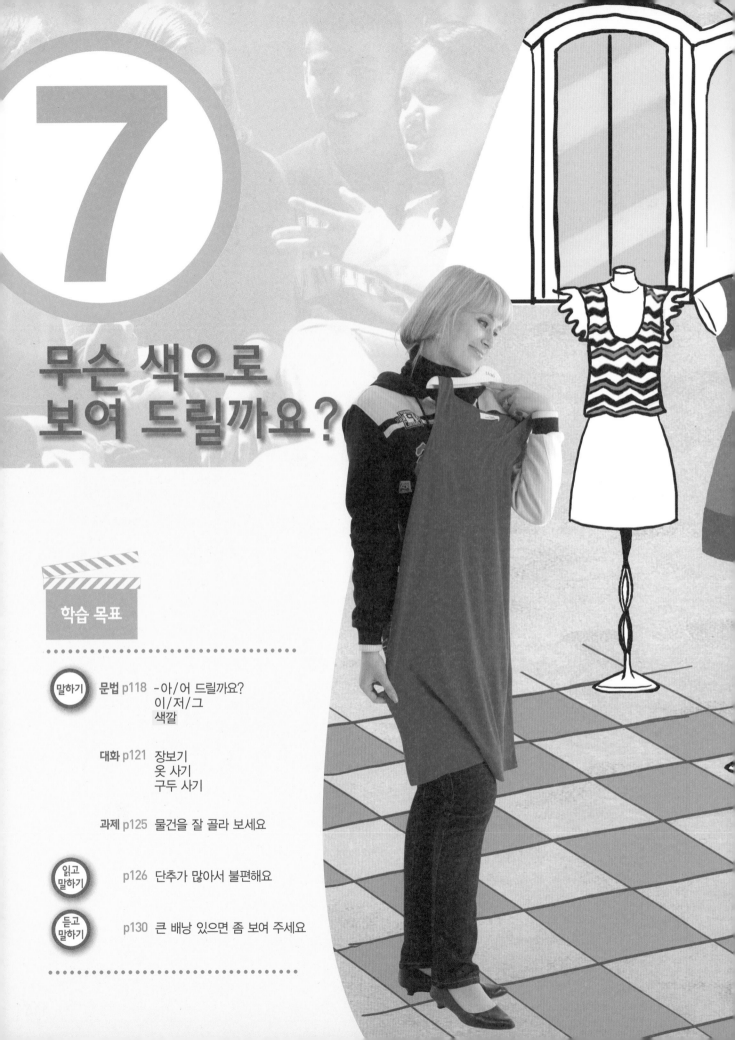

7

무슨 색으로
보여 드릴까요?

학습 목표

-아/어 드릴까요?

 p 18

문 열어 드릴까요?

908호

네, 감사합니다.

질문해 보세요.

① A 동전이 없으세요?

제가 커피 사 드릴까요 ?
　　　　　사다

B 네, 사 주세요.

② A 가방이 무거우세요?

제가 ＿＿＿＿＿＿＿＿＿＿＿＿＿ ?
　　　들다

B 아니요, 괜찮아요.

③ A 저한테 우산이 두 개 있어요.

＿＿＿＿＿＿＿＿＿＿＿＿＿＿ ?
　　빌리다

B 네, 빌려 주세요.

④ A 숙제가 많아요?

제가 ＿＿＿＿＿＿＿＿＿＿＿＿＿ ?
　　　✪ 돕다

B 네, 도와주세요.

카드를 이용해서 이야기해 보세요.

A 이번 일요일에 이사할 거예요.

B 그래요? 제가 도와 드릴까요?

A 도와줄 수 있어요? 고마워요.

B 몇 시에 갈까요?

A 10시에 와 주세요.

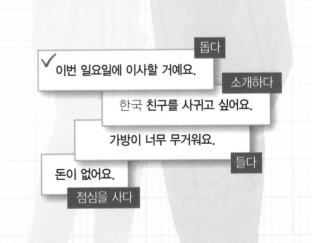

돕다

✓ 이번 일요일에 이사할 거예요.

소개하다

한국 친구를 사귀고 싶어요.

가방이 너무 무거워요.

들다

돈이 없어요.

점심을 사다

저게 누구 차예요?

수잔 씨 차예요.

그게 뭐예요?

앤디 씨 생일 선물이에요.

😀 **대답해 보세요.**

A 그 가방이 누구 거예요?
B 이 가방은 소라 씨 거예요.

A 어디에서 샀어요?
　저도 이런 옷 사고 싶어요.
B 동대문에 가면 ＿＿＿＿＿ 옷 많아요.

A ＿＿＿＿＿ 탈 수 있어요?
B 아니요, 저렇게 못 타요.

A ＿＿＿＿＿ 할 수 있어요?
B 아니요, 그렇게 못 해요.

👫 **같이 이야기해 보세요.**

교실에 있는 사람, 물건을 이용하세요.

그런 신발 어디에서 살 수 있어요?

저분이 누구예요?

이렇게 할 수 있어요?

색깔

어떤 색을 좋아해요?

저는 녹색을 좋아해요.

1. 어떤 색을 좋아해요?

빨간색	파란색	베이지색
분홍색	하늘색	노란색
주황색	남색	갈색
녹색	보라색	회색
연두색	하얀색	까만색

2. 색종이를 이용해서 색을 말해 보세요.

이게 무슨 색이에요?

노란색이에요.

색종이를 집으세요.

친구한테 색을 설명해 보세요.

바다에서 많이 볼 수 있어요.
무슨 색일까요?

파란색이에요?

네, 맞아요.

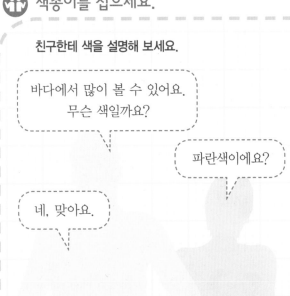

44

장보기

과일을 사려고 합니다. 어떻게 말합니까?

이 배 얼마예요?

배

아줌마 어서 오세요.
앤디 아줌마, 이 배 얼마예요?
아줌마 네 개에 10,000원이에요.
앤디 저건 얼마예요?
아줌마 세 개에 10,000원이에요.
앤디 저걸로 주세요.
아줌마 얼마나 드릴까요?
앤디 20,000원어치 주세요.
아줌마 네, 여기 있어요.

20,000원어치
[이마눠너치]

다음을 이용해서 대화를 만들어 보세요

배 - 네 개 10,000원

배 - 세 개 10,000원

121

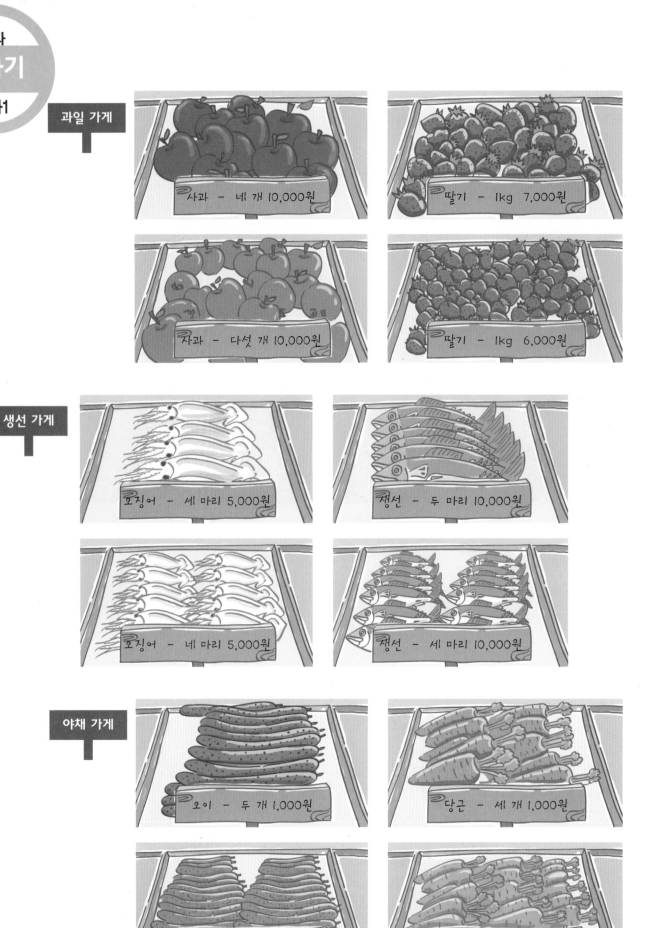

과일 가게

사과 - 네 개 10,000원

딸기 - 1kg 7,000원

사과 - 다섯 개 10,000원

딸기 - 1kg 6,000원

생선 가게

오징어 - 세 마리 5,000원

생선 - 두 마리 10,000원

오징어 - 네 마리 5,000원

생선 - 세 마리 10,000원

야채 가게

오이 - 두 개 1,000원

당근 - 세 개 1,000원

오이 - 세 개 1,000원

당근 - 네 개 1,000원

옷 사기

옷 가게에서 옷을 사려고 합니다. 어떻게 말합니까?

> 이거 어떠세요?

점원   어서 오세요. 손님, 뭐 찾으세요?

지훈   반바지 있어요?

점원   무슨 색으로 보여 드릴까요?

지훈   베이지색이요.

점원   네, 이쪽으로 오세요. 이거 어떠세요?

지훈   입어 봐도 돼요?

점원   물론이지요. 저쪽에서 입어 보세요.

　　　…

점원   잘 어울리세요, 손님.

지훈   그래요? 그럼, 이걸로 주세요.

반바지

반팔 티셔츠

스웨터

코트

구두 사기

점원 손님, 뭐 찾으세요?
소라 갈색 구두 있어요?
점원 네, 이거 어떠세요?
소라 좋아요. 좀 신어 볼게요.
점원 사이즈가 어떻게 되세요?
소라 240이요.
점원 여기 있습니다. 신어 보세요.
          …
점원 어떠세요?
소라 발이 좀 불편해요. 좀 더 보고 올게요.
점원 그러세요.

발이 불편하다

발이 아프다

굽이 높다

저한테 안 어울리다

마음에 안 들다

물건을 잘 골라 보세요

준비

1. 그림 카드를 이용해서 단어를 복습해 보세요.
2. 역할극을 준비하세요.
   점원은 옷과 신발 그림을 받아서 가게를 준비하세요.
   손님은 쇼핑 리스트를 생각하세요.
   쇼핑 테마 카드를 골라서 활동을 합니다.

> 데이트하러 가요.

> 면접이 있어요.

> 친구하고 놀러 가요.

> 스트레스가 많아요.

활동

여러 가게를 다녀 보세요.
점원에게 필요한 것을 말하고
좋은 물건을 찾아보세요.

> 사이즈가 안 맞는데요.

> 좀 더 보고 올게요.

> 다른 색 있으면 좀 보여 주세요.

> 좀 비싸요.

100,000

200

정리 같이 이야기해 보세요. 어떤 것을 샀어요?
어떤 가게가 마음에 들었어요? 가게의 점원은 어땠어요?

125

단추가 많아서 불편해요

쇼핑하는 것을 좋아하세요?

물건을 산 다음에 그 물건이 마음에 안 들면 어떻게 하세요?

☐ 친구한테 줘요.   ☐ 다른 물건으로 바꿔요.

☐ 환불 받아요.   ☐ 버려요.

그림을 보고 이야기를 만들어 보세요.

세일이니까 들어가서
구경하고 싶어요.

와! 예쁘다!¹⁾

영수증이 없으면
환불 받을 수 없어요.

1) -다!

127

📖 이야기 순서를 찾으십시오.

(나) ➡ (   ) ➡ (   ) ➡ (   ) ➡ (   )

가

　수잔 씨는 집에 가서 영수증을 찾아봤어요. 그런데 영수증은 옷장에도 없고 가방에도 없었어요. 그때 갑자기 생각이 났어요. 수잔 씨가 쓰레기를 버릴 때 종이들도 다 버렸어요.

나

　수잔 씨가 토요일 오후에 백화점 옷 가게에서 예쁜 옷을 봤어요. 그 옷은 값이 비쌌지만 그런 옷을 한번 입어 보고 싶어서 샀어요. 그런데 집에 가서 옷을 다시 입어 볼 때 단추가 많아서 불편했어요.

다

　며칠 후에 수잔 씨는 백화점에 다시 가서 백화점 직원한테 말했어요. "영수증을 못 찾았어요. 어떻게 하지요?" 백화점 직원은 "영수증이 없으면 환불 받을 수 없어요. 그러니까 다른 옷으로 바꾸세요."라고 말했어요.

라

　수잔 씨는 다음 날 오후에 백화점에 다시 가서 그 옷을 환불 받으려고 했어요. 그런데 환불 받으려면[2] 영수증이 필요했어요. 그래서 수잔 씨는 영수증을 찾으러 집으로 돌아갔어요.

마

　그래서 이번에 수잔 씨는 편한 옷을 골랐어요. 그 옷이 수잔 씨한테 잘 어울렸어요. 수잔 씨는 그 옷을 입고 백화점에서 나왔어요. 백화점에서 나올 때 마음이 가벼웠어요.

💿 CD 47

2) -으려면

가 맞으면 ○, 틀리면 × 하십시오.

1. 수잔 씨 옷은 단추가 없어서 불편했어요.　　　　　　(　)
2. 수잔 씨는 옷을 환불 받으려고 다시 백화점에 갔어요.　(　)
3. 수잔 씨는 집에서 영수증을 찾을 수 있었어요.　　　　(　)
4. 수잔 씨는 다른 옷으로 바꿀 수 없었어요.　　　　　　(　)
5. 수잔 씨는 옷을 바꾼 후에 백화점에서 나올 때 마음이 가벼웠어요.　(　)

나 묻고 대답하십시오.

1. 수잔 씨는 처음에 어떤 옷을 샀어요?
2. 수잔 씨는 왜 그 옷을 환불 받으려고 했어요?
3. 수잔 씨는 왜 그 옷을 환불 받을 수 없었어요?
4. 수잔 씨는 왜 영수증을 찾을 수 없었어요?
5. 수잔 씨는 백화점에 다시 가서 어떻게 했어요?

다 소리 내서 읽으십시오. 발음 끊어 읽기

• 수잔 씨는 다음 날 오후에 백화점에 다시 가서 그 옷을 환불 받으려고 했어요. 그런데 환불 받으려면 영수증이 필요했어요. 그래서 수잔 씨는 영수증을 찾으러 집으로 돌아갔어요.

라 다음을 이용해서 내용을 요약하십시오.

새 / 옷 / 단추 / 많다 / 입다 / 불편하다
그 / 옷 / 환불 / 받다 / 영수증 / 필요하다
쓰레기 / 버리다 / 영수증 / 같이 / 버리다
영수증 / 없다 / 환불 / 받다 / 다르다 / 옷 / 바꾸다
수잔 씨 / 백화점 / 나오다 / 마음 / 가볍다

마 해 봅시다.

활동1
수잔 씨가 백화점에 갑니다.
직원하고 대화해 보세요.

활동2
여러분의 경험을 이야기해 보세요.
여러분도 물건을 산 다음에 다른 물건으로 바꿔 봤어요?

바 써 봅시다.

p126-127 그림을 보고 수잔 씨 이야기를 써 보세요.

① 토요일 오후 (옷을 샀어요.)
② 다음날 오후 (옷을 환불 받으려고 백화점에 다시 갔어요.)
③ 며칠 후 (다른 옷으로 옷을 바꿨어요.)

큰 배낭 있으면 좀 보여 주세요

지금 어떤 가방을 사용하세요? 여러분은 가방을 살 때 뭐가 중요해요? ✔ 표시해 보세요.

- ☐ 편리해요.
- ☐ 가벼워요.
- ☐ 짐이 많이 들어가요.
- ☐ 디자인이 멋있어요.
- ☐ 주머니가 있어요.
- ☐ 방수가 돼요.
- ☐ 튼튼해요.
- ☐ 유명한 브랜드예요.
- ☐ 값이 싸요.

지훈 씨가 가방 가게에 왔습니다. 어떤 가방을 사려고 해요?

🎧 가게 주인이 지훈 씨한테 가방을 몇 개 보여 줬어요?　　CD 48

가 맞는 것에 ✓ 표시하십시오.

첫 번째 배낭

크다 / 작다
가볍다 / 무겁다
주머니 ○ / 주머니 ×
튼튼하다 / 약하다
방수가 되다 / 안 되다

두 번째 배낭

크다 / 작다
가볍다 / 무겁다
주머니 ○ / 주머니 ×
튼튼하다 / 약하다
방수가 되다 / 안 되다

나 묻고 대답하십시오.

1. 지훈 씨는 왜 배낭을 사려고 해요?
2. 지훈 씨가 처음에 어떤 배낭을 봤어요?
3. 두 번째 배낭은 어땠어요?
4. 지훈 씨가 왜 배낭을 사지 않았어요?
5. 지훈 씨가 그 가게에서 배낭을 사고 싶지 않았어요.
   그래서 가게 주인한테 뭐라고 했어요?
6. 여러분이 지훈 씨라면 어떤 배낭을 살 거예요? 🧠

다 잘 듣고 빈칸을 채우십시오. 💿 CD 49

지훈 : 외국에 여행을 가려고 하는데요.
　　　① _____ 있으면 좀 보여 주세요.
주인 : 네, 이거 어떠세요? 크고 ② _____ .
　　　그리고 주머니가 있어서 편리해요.
지훈 : 이거 ③ _____ ?
주인 : 물론이지요.
　　　또 방수가 돼서 비가 올 때에도 문제가 없어요.

라 잘 듣고 따라하십시오. 발음 ● CD 50

주인 : 값이 싸서 손님들이 많이 사 가요.
지훈 : 값은 괜찮지만, 방수가 안 돼서 마음에 안 들어요.

마 다음 요약문을 완성하십시오.

지훈 씨는 배낭을 사러 가방 가게에 갔습니다. 가게 주인이 크고 (ㄱ   ) 배낭을 두 개 보여
줬습니다. 첫 번째 배낭은 (ㄱ   )이 비쌌지만 두 번째 배낭은 값이 비싸지 않았습니다.
그리고 첫 번째 배낭은 (ㅈ   )가 있었지만 두 번째 배낭은 주머니가 없었습니다.
또 첫 번째 배낭은 (ㅂ   )가 되었지만 두 번째 배낭은 방수가 되지 않았습니다. 지훈 씨는
첫 번째 배낭이 마음에 (ㄷ   )지만 값이 비싸서 사지 않았습니다.

바 해 봅시다.

활동 1

가방을 경매해 보세요.
친구들한테 가방을 보여 주고 설명하세요.
친구들이 그 가방이 마음에 들면 값을 말합니다.

> 짐이 많이 들어가요.

> 튼튼해요.

> 12,000원!

> 주머니가 많아요.

> 13,000원!

활동 2

요즘 어떤 물건이 필요해요?
그 물건을 사려면 어디로 가야 해요?
여러분이 그 물건을 사러 가게에 갑니다.
가게 주인과 대화해 보세요.

사 써 봅시다.

지훈 씨가 가방을 사러 갑니다.
다음 단어를 이용해서
지훈 씨 이야기를 써 보세요.

> 배낭, 주머니, 튼튼하다, 방수가 되다, 값

여러분이 물건을 사러 갑니다.
대화를 써 보세요.

문법

1. -아/어 드릴까요?

[비가 와요]

A 우산이 두 개 있어요. 빌려 드릴까요?
B 네, 빌려 주세요. 감사합니다.

2. 이/저/그

[가게]

A 이거 어떠세요? 이게 요즘 인기가 있어요.
B 좋아요. 그걸로 주세요.

단어 표현

■ 동사　▲ 형용사　● 명사　◆ 부사　□ 기타/표현

대화

- 과일
- 당근
- 딸기
- 생선 한 마리
- 반바지
- 반팔 티셔츠
- 배
- 손님
- 스웨터
- 아줌마
- 야채
- 오이
- 오징어
- 점원
- □ 굽이 높다
- □ (-한테) 잘 어울리다
- □ 무슨 색으로 보여 드릴까요?
- □ 뭐 찾으세요?

- □ 사이즈가 어떻게 되세요?
- □ 얼마나 드릴까요?
- □ 이거 어떠세요?
- □ 이걸로 주세요.
- □ 이쪽으로 오세요.
- □ 입어 봐도 돼요?
- □ 좀 더 보고 올게요.

읽고 말하기

- ■ 고르다
- ■ (-으로) 바꾸다
- ■ 버리다
- 값
- 다음 날
- 단추
- 며칠
- 세일
- 쓰레기
- 영수증

- 옷장
- 이번
- □ 환불 받다
- □ 마음이 가벼웠어요.

듣고 말하기

- ▲ 튼튼하다
- ▲ 편리하다
- 배낭
- 주머니
- 주인
- 크기
- ◆ 그래도
- □ 방수가 되다
- □ 더 싼 거 없어요?
- □ 문제 없어요.
- □ 저걸로 하세요.

 p 31

말하기

1. 시장에서 과일이나 야채를 살 때 어떻게 말해요?

2. 가게에서 옷을 사려고 합니다.
   여러분이 사고 싶은 옷 사이즈, 색을 설명해 보세요.

8

뭐 드시겠어요?

중국집

-아/어 주시겠어요?

 p 20

좀 천천히 말씀해 주시겠어요?

 바꿔서 말해 보세요.

한국 친구 좀 소개해 주시겠어요?

① 한국 친구를 소개해 주세요.

② 커피를 사 주세요.

③ 이름을 써 주세요.

④ 사진을 찍어 주세요.

⑤ 테이블을 닦아 주세요.

 카드를 이용해서 이야기해 보세요.

A 제가 이번 주말에 홍대에 가려고 해요.
 그런데 길을 잘 몰라요. 길을 좀 가르쳐 주시겠어요?
B 네, 가르쳐 드릴게요.
 신촌 역에서 2호선을 타고 가세요.

가르치다

✓ 홍대에 가려고 해요. 길을 몰라요.

돕다

숙제를 해야 해요. 숙제가 너무 어려워요.

추천하다

다음 주에 렌핑 씨 생일 파티가 있어요.
선물을 사려고 해요.

미나 씨가 친절해요.

앤디 씨가 뭐라고 했어요?

미나 씨가
친절하다고 했어요.

대답해 보세요.

앤디 씨가 뭐라고 했어요?

요즘 바쁘다고 했어요.

① "요즘 바빠요."

② "지금 기분이 좋아요."

③ "머리가 아파요."

④ "오후에 시간이 있어요."

⑤ "책이 무거워요."

카드를 이용해서 이야기해 보세요.

A는 B한테 귓속말을 하세요.
C는 B한테 그 말을 물어보세요.

완 씨가 뭐라고 했어요?

미나 씨 방이 깨끗하다고 했어요.

✓ 미나 씨 방 이/가 깨끗해요.

_____ 이/가 좋아요.

_____ 이/가 맛있어요.

_____ 이/가 멀어요.

음식 고르기

51

식당에서 주문하려고 합니다. 어떻게 말합니까?

메 뉴

불고기 비빔밥 생선구이 된장찌개 김치찌개

7000 5000 6000 4000 4000

이 집 김치찌개 어때요?

친구가 좀 맵다고 했어요.

앤디 이 집 김치찌개 어때요?

미나 제 친구가 좀 맵다고 했어요.

앤디 그럼, 불고기는요?

미나 불고기는 맛있다고 했어요.

앤디 그럼, 불고기 한번 먹어 볼게요. 미나 씨는 뭐 드시겠어요?

미나 저도 불고기요. 아저씨, 여기 불고기 2인분 주세요.

다음을 이용해서 대화를 만들어 보세요

매워요

짜요

달아요

기름기가 많아요

싱거워요

요리 방법을 몰라서 도움을 받고 싶습니다. 어떻게 말합니까?

파전 만드는 법 좀
가르쳐 주시겠어요?

제니   미나 씨, 파전 만들 줄 알아요?

미나   네, 왜요?

제니   파전이 맛있어서 한번 만들어 보려고 해요.

미나   아, 그래요? 저 파전 잘 만들어요.

제니   와! 그럼, 파전 만드는 법 좀 가르쳐 주시겠어요?

미나   네, 가르쳐 드릴게요.

파전 삼계탕 불고기 잡채 갈비찜	가르쳐 주다 알려 주다 써 주다

식당 추천 받기

> 좋은 식당 하나 추천해 주시겠어요?

완	지훈 씨, 내일 삼청동에서 친구하고 식사하기로 했어요. 좋은 식당 하나 추천해 주시겠어요?
지훈	한식 좋아하세요?
완	네, 좋아해요.
지훈	그럼, 눈나무집에 가 보세요. 음식이 맛있다고 해요.
완	그래요? 한번 가 볼게요. 고마워요.

	한식	··········	〈눈나무집〉	··········	음식이 맛있다
추천하다	일식	··········	〈사뽀로〉	··········	옛날부터 유명하다
소개하다	이탈리아 음식	··········	〈소렌토〉	··········	분위기가 좋다
알리다	베트남 음식	··········	〈포호아〉	··········	서비스가 좋다
	멕시코 음식	··········	〈엘파소〉	··········	젊은 사람들한테 인기가 많다

회식 장소를 찾아보세요

준비

선생님한테서 식당 정보가 있는
카드를 받으세요.

[눈나무집]
· 삼청동
· 김치국수
· 깨끗하고 싸요.

활동 1단계

친구한테 식당 정보를 알려 주세요.
그리고 친구들한테서
식당 정보를 듣고 메모해 보세요.

누가 추천?	식당 이름	위치	음식	좋은점 / 나쁜점
한스	눈나무집	삼청동	김치국수	깨끗하다, 싸다
히로미	산까치	신촌	된장비빔밥	학교에서 가깝다

활동 2단계

어디에서 회식하는 게 좋을까요?
회식 장소를 정해 보세요.

좋은 식당을 추천해 주시겠어요?

그 식당이 어디에 있어요?

거기에 가면 뭐 먹을 수 있어요?

정리 발표해 보세요. 어디에서 회식하기로 했어요? 왜 거기가 좋아요?

잡채를 어떻게 만들어요?

여러분은 한식 중에서 어떤 음식을 좋아하세요?

삼계탕   비빔밥   불고기

잡채를 만들 때 어떤 재료가 필요해요?

당면
소고기
피망
버섯
당근
양파

 당면을 양념할 때 뭐가 필요해요? (세 가지)

☐ 간장   ☐ 설탕   ☐ 식용유   ☐ 참기름

잡채

재료	
당면	350g
소고기	100g
피망	30g
버섯	30g
당근	30g
양파	30g
식용유	

양념	
참기름	두 숟가락
설탕	두 숟가락
간장	네 숟가락

만드는 방법

첫 번째[1], 소고기를 5mm로 써세요.

두 번째, 소고기를 설탕과 간장으로 양념하세요.

세 번째, 피망, 당근, 양파, 버섯을 5mm로 써세요.

네 번째, 팬에 식용유를 넣고 야채를 볶으세요.

다섯 번째, 야채를 볶은 다음에 소고기를 볶으세요.

여섯 번째, 물을 끓인 다음에 당면을 넣으세요.

일곱 번째, 당면이 익으면 불을 끄고 당면을 꺼내세요.

여덟 번째, 당면을 참기름, 설탕, 간장으로 양념하세요.

아홉 번째, 소고기와 야채를 당면에 넣고 같이 섞으세요.

CD 54

1) 첫 번째

가 순서가 틀린 것을 찾으십시오.

나 묻고 대답하십시오.

1. 소고기를 썬 다음에 뭐 해야 해요?
2. 야채를 어떤 크기로 썰어요?
3. 소고기를 먼저 볶아요? 야채를 먼저 볶아요?
4. 당면을 언제 꺼내요?

다 소리 내서 읽으십시오. 발음

• 소고기를 설탕과 간장으로 양념하세요.
• 팬에 식용유를 넣고 소고기를 볶으세요.
• 물을 끓인 다음에 당면을 넣으세요.

라 다음 요약문을 완성하십시오.

소고기를 5mm로 (ㅆ   )고, 설탕과 간장으로 (ㅇ   )하세요.
그리고 피망, 당근, 양파, 버섯을 5mm로 써세요.
팬에 식용유를 (ㄴ   )고 야채를 볶은 다음에 고기를 (ㅂ   ).
물을 (ㄲ   ) 다음에 당면을 넣고 당면이 익으면 당면을 (ㄲ   ).
당면을 참기름, 설탕, 간장으로 양념한 다음에 소고기와 야채를 넣고 다시 (ㅅ   ).

마 해 봅시다.

여러분은 요리 선생님입니다.
그림을 보고 잡채 만드는 방법을 말해 보세요.

바 써 봅시다.

잡채를 어떻게 만들어요?
요리 방법을 써 보세요.

비빔밥이 맛있다고 했어요

식당 개업식에 가 보셨어요?

지훈 씨 이웃집 아주머니가 식당을 개업했습니다.
그래서 지훈 씨가 축하 선물을 가져 왔습니다. 어떤 선물을 가져 왔어요?

지훈 씨와 완 씨가 식당에서 무슨 음식을 시켜요?　　CD 55

가 맞으면 ○, 틀리면 × 하십시오.

1. 지훈 씨와 완 씨는 식당에 일하러 왔어요.   (   )
2. 아주머니는 지훈 씨한테 식당 분위기가 참 좋다고 했어요.   (   )
3. 아주머니는 완 씨한테 비빔밥을 추천했어요.   (   )
4. 지훈 씨는 냉면이 맛없다고 했어요.   (   )
5. 한국에서는 개업하면 이웃집에 떡을 돌려요.   (   )

나 묻고 대답하십시오.

1. 지훈 씨와 완 씨는 왜 식당에 화분을 가져왔어요?
2. 완 씨는 식당을 보고 아주머니한테 뭐라고 했어요?
3. 완 씨는 왜 비빔밥을 시켰어요?
4. 두 사람은 음식에 대해서[2] 뭐라고 했어요?
5. 왜 아주머니가 떡을 준비했어요?

다 잘 듣고 빈 칸을 채우십시오. CD 56

완   : 한국에서는 개업하면 떡을 줘요?
지훈   : 네, 개업하면 ①   과
             손님들한테 떡을 돌려요.
아주머니 : 네, 그래서 떡을 준비했어요.
             ②   보세요.
완   : 감사합니다. 잘 먹겠습니다.

라 잘 듣고 따라하십시오. 발음 CD 57

아주머니 : 여기 비빔밥하고 물냉면 나왔어요.
지훈   : 아주머니, 냉면 좀 잘라 주시겠어요?

마 다음 요약문을 완성하십시오.

지훈 씨와 완 씨는 개업을 (ㅊ   )러 식당에 갔습니다. 지훈 씨는 그 식당 아주머니를
잘 압니다. 두 사람은 아주머니한테 (ㅎ   )을 선물했습니다. 완 씨는 아주머니한테
식당 (ㅂ   )가 좋다고 말했습니다. 두 사람은 비빔밥과 물냉면을 (ㅅ   ).
조금 후에 아주머니가 (ㄸ   )을 가져오셨습니다. 지훈 씨가 완 씨한테 떡에 대해서도
설명해 줬습니다. "한국에서는 개업하면 이웃집과 손님들한테 떡을 (ㄷ   )."

바 해 봅시다.

여러분 나라에서는 친구가 개업하면
어떤 선물을 가지고 가요?
가게 주인도 선물을 준비해요?

사 써 봅시다.

다음 단어를 이용해서 지훈 씨의
오늘 이야기를 써 보세요.

개업, 화분, 비빔밥, 물냉면, 떡

2) - 에 대해서

문법

1. - 아 / 어 주시겠어요?

A 죄송한데요, 좀 도와 주시겠어요?

B 네, 도와 드릴게요.

2. 간접화법 ① - 다고 하다

A 이 집 음식이 어때요?

B 친구가 맛있다고 했어요.

단어 표현

■ 동사   ▲ 형용사   ● 명사   ◆ 부사   □ 기타/표현

대화

▲ 싱겁다
▲ 젊다
● 갈비찜
● 삼계탕
● 일식
● 잡채
● 파전
　 파전 만드는 법
● 한식
□ 기름기가 많다
□ 분위기가 좋다
□ 서비스가 좋다
□ 뭐 드시겠어요?
□ 한번 가 볼게요.

읽고 말하기

■ 꺼내다
■ 넣다
■ 볶다
■ 섞다
■ 썰다
■ 양념하다
■ 익다
■ 자르다
● 당면
● 방법
● 버섯
● 불
● 식용유
● 양파
● 재료
● 피망
□ 물을 끓이다
□ 불을 끄다

듣고 말하기

■ 가져오다
■ 개업하다
■ 자르다
● 이웃집
● 자리
● 화분
□ 냉면이 시원하다
□ 떡을 돌리다
□ 고마워요.
□ 그걸로 주세요.
□ 맛있게 드세요.
□ 어서 와요.
□ 여기 물냉면 나왔어요.
□ 축하 드립니다.

 p 32

말하기

1. 식당에서 음식을 주문하려고 메뉴를 보고 있습니다.
　 음식을 잘 모를 때 식당 종업원한테 어떻게 물어봐요?

2. 부모님하고 같이 좋은 식당에 가고 싶습니다.
　 좋은 식당을 알아볼 때 친구한테 어떻게 물어봐요?

❾

제가 전화했다고
전해 주세요

학습 목표

간접화법② -는다고 하다

 p 21

 바꿔서 말해 보세요.

> 보통 도서관에서
> 세 시간 동안 공부해요.

> 보통 도서관에서 세 시간 동안
> 공부한다고 했어요.

① "보통 도서관에서 세 시간 동안 공부해요."

② "주말마다 친구하고 동아리 친구들을 만나요."

③ "점심 때 보통 김밥을 먹어요."

④ "영호 씨는 책을 읽지 않아요."

★⑤ "수업이 끝난 다음에 렌핑 씨하고 놀아요."

친구한테 물어보세요.

> 시간 있을 때 뭐 해요?

이름	시간이 있을 때 뭐 해요?
수잔	영화를 봐요.
제임스	등산해요.
완	?

같이 이야기해 보세요.

> 수잔 씨가 시간이 있을 때
> 뭐 한다고 했어요?

> 영화를 본다고 했어요.

바꿔서 말해 보세요.

어제 친구를 만났어요.

어제 친구를 만났다고 했어요.

1 "어제 친구를 만났어요."

2 "어제 저녁에 커피숍에서 케이크를 먹었어요."

3 "주말에 집에서 쉬었어요."

4 "어제 운동하지 않았어요."

5 "아까 음악을 들었어요."

친구한테 물어보세요.

지난 주말에 뭐 했어요?

이름	지난 주말에 뭐 했어요?
제임스	등산했어요.
수잔	친구 이사를 도와줬어요.
완	?

같이 이야기해 보세요.

제임스 씨가 지난 주말에 뭐 했다고 했어요?

등산했다고 했어요.

간접화법② -을 거라고 하다

 p 22

 바꿔서 말해 보세요.

오늘 오후에 비가 올 거예요.

오늘 오후에 비가 올 거라고 했어요.

① "오늘 오후에 비가 올 거예요."

② "주말에 친구하고 테니스를 칠 거예요."

③ "이번 달부터 독일어를 배울 거예요."

④ "이번 주말에 새 하숙집을 찾을 거예요."

⑤ "5년 후에 일본에서 살 거예요."

 친구한테 물어보세요.

이번 방학 때 뭐 할 거예요?

이름	이번 방학 때 뭐 할 거예요?
완	아르바이트할 거예요.
수잔	한국 여기저기를 구경할 거예요.
제임스	?

같이 이야기해 보세요.

완 씨가 이번 방학 때 뭐 할 거라고 했어요?

아르바이트할 거라고 했어요.

친구 집에 전화하기

58

친구가 전화를 안 받아서 같이 사는 친구한테 전화합니다. 그때 어떻게 말합니까?

앤디 씨가 전화를 안 받아요.

앤디 씨 잠깐 나갔어요.

소라 여보세요.

렌핑 소라 씨, 안녕하세요? 저 렌핑인데요. 앤디 씨가 전화를 안 받아요.

소라 앤디 씨 잠깐 나갔어요.

렌핑 언제쯤 돌아올까요?

소라 금방 온다고 했어요.

렌핑 그럼, 제가 전화했다고 전해 주세요.

소라 네, 알겠어요.

렌핑 안녕히 계세요.

소라 안녕히 계세요.

다음을 이용해서 대화를 만들어 보세요

"금방 와요."

"5분 후에 돌아와요."

"10분 안에 돌아와요."

"3시쯤 들어와요."

"좀 늦어요."

"제가 전화했어요."

"제가 다시 전화해요."

"내일 시험을 봐요."

"김 선생님이 찾아요."

"약속에 늦을 거예요."

금방 와요.

5분 후에 돌아와요.

한 시간쯤 후에 와요.

3시쯤 들어와요.

좀 늦어요.

곧 돌아와요.

59

전화 메시지 전하기

전화 메시지를 전해야 합니다. 어떻게 말합니까?

아까 렌핑 씨가 전화했어요.

그래요?

소라 앤디 씨, 아까 렌핑 씨가 전화했어요.

앤디 그래요? 뭐라고 했어요?

소라 약속에 늦을 거라고 했어요.

앤디 왜요?

소라 길에서 차가 고장났다고 했어요.

앤디 네, 알겠어요. 고마워요.

"약속에 늦을 거예요."

"주말에 여행 못 갈 거예요."

"저녁 때 만날 수 없어요."

"오늘 밤에 파티에 못 갈 거예요."

"내일 수업에 못 갈 거예요."

"길에서 차가 고장났어요."

"감기에 걸렸어요."

"갑자기 일이 생겼어요."

"내일 시험이 있어요."

"내일 출장 가야 해요."

소문 이야기하기

 60

소문에 대해서 말하고 싶습니다. 어떻게 말합니까?

수잔 데니 씨 얘기 들으셨어요?

앤디 못[1] 들었어요. 무슨 얘기요?

수잔 요즘 학교에 안 나온다고 해요.

앤디 왜요?

수잔 취직해서요[2].

앤디 그래요? 몰랐어요.

요즘 학교에 안 나오다	취직했다
요즘 매일 결석하다	교통사고가 났다
학교를 한 학기 쉬다	건강이 안 좋다
회사를 그만두다	월급이 적다
캐나다에 돌아가다	캐나다에서 사업을 시작하다

1) 못 2) -아/어서요.

준비

선생님한테서 카드를 네 장 받으세요.
이름하고 자기 정보를 쓰세요.
다 쓴 다음에 선생님한테 내세요.

이름 : 앤디
1. (친절한) 사람이 제일 좋아요.   (5점)
2. 방학 때 (미국에 갈 거예)요.   (4점)
3. 전화번호는 (123-456-7890)예요/이에요.   (3점)
4. (태권도)을/를 할 줄 알아요.   (2점)
5. 쉬는 시간에 (수잔 씨하고 얘기했어)요.   (1점)

이름 : 이리나
1. 한국 친구가 (다섯) 명쯤 있어요.   (5점)
2. 보통 하루에 (네) 시간 공부해요.   (4점)
3. (노란색)을 좋아해요.   (3점)
4. (운동하는 것)을 싫어해요.   (2점)
5. 방학 때 (러시아)에 가고 싶어요.   (1점)

활동

카드를 한 장 선택하세요. 친구한테 읽어 주세요.
친구가 이름을 맞히면 점수를 표시하세요.
그리고 친구한테 그 카드를 주세요.

이 친구는 친절한 사람이
제일 좋다고 했어요.

이 친구는 방학 때
미국에 갈 거라고 했어요.

아! 앤디 씨예요!

정리 점수를 계산하세요. 몇 점을 받았어요?
누가 우리 반 친구에 대해서 제일 많이 알아요?

그 여자한테 말을 걸고 싶었어요

식당에서 멋있는 여자(남자)를 봤어요. 말을 걸고 싶습니다. 여러분은 어떻게 하시겠어요?

제임스 씨는 고속버스에서 멋있는 여자를 봤습니다. 제임스 씨는 어떻게 말을 걸까요?

📖 제임스 씨는 왜 말을 걸지 못해요?

제임스 씨는 지난 일요일에 친구를 만나러 인천에 갔습니다. 그래서 아침 10시에 신촌에서 고속버스를 탔습니다. 제임스 씨는 버스 옆 자리에 멋있는 여자가 앉아서 기분이 좋았습니다. 제임스 씨는 그 여자한테 말을 걸고 싶었습니다. 그래서 버스가 출발하기 전에 초콜릿 우유 두 개를 샀습니다. 하지만 제임스 씨는 그 여자한테 말을

5 걸 수 없었습니다. 그 여자는 50분 동안 계속 전화를 했습니다.

"민정 씨, 지금 어디에 있어요?"

"저요? 버스 안에 있어요. 심심해서 전화했어요."

그리고 그 여자는 얘기를 계속했습니다. 새 구두를 신어서 발이 아프다고 했습니다. 그 구두는 세일해서 어제 샀다고 했습니다. 제임스 씨는 그 여자한테 말을 걸고

10 싶었지만, 그 여자는 전화를 끊지 않았습니다.

'언제 저 여자하고 얘기할 수 있을까?'

제임스 씨는 계속 기다렸습니다. 하지만 그 여자는 쉬지 않고 전화했습니다. 인천에 도착하기 10분 전이었습니다. 드디어 그 여자가 전화를 끊었습니다. 그래서 제임스 씨는 그 여자한테 말을 걸려고 했습니다.

15 "저……"

다음 이야기를 생각해 보세요.

그런데 바로 그때, 다시 전화가 왔습니다. 그때부터 버스에서 내릴 때까지 그 여자는 계속 전화를 했습니다. 제임스 씨는 버스에서 내리기 전에 예쁜 여자한테 초콜릿 우유도 주고 인사도 하고 싶었습니다. 하지만 버스는 벌써 터미널에 도착했습니다. 제임스 씨는 끝까지 그 여자와 한 마디도 못했습니다. 그래서 제임스 씨는 버스에서 내릴 때 초콜릿 우유를 버스 기사 아저씨한테 드렸습니다.

🔊 CD 61

가 맞으면 ○, 틀리면 × 하십시오.

1. 제임스 씨는 버스 기사한테 주려고 초콜릿 우유를 샀습니다. ( )
2. 버스에서 제임스 씨 옆 자리에 예쁜 여자가 앉았습니다. ( )
3. 여자는 버스에서 계속 책을 읽었습니다. ( )
4. 제임스 씨는 여자한테 말을 걸었습니다. ( )
5. 제임스 씨는 버스에서 내리기 전에 그 여자한테 인사했습니다. ( )

나 묻고 대답하십시오.

1. 제임스 씨는 버스가 출발하기 전에 왜 초콜릿 우유를 샀습니까?
2. 옆 자리 여자는 핸드폰으로 무슨 말을 했습니까?
3. 제임스 씨는 버스에서 내리기 전에 여자한테 말을 걸었습니까?
4. 지난 일요일에 제임스 씨가 인천에 갈 때 버스에서 무슨 일이 있었습니까?
5. 버스 옆 자리에 이런 사람이 앉으면 어떻게 할 거예요?

다 소리 내서 읽으십시오. 끊어 읽기

• 여자는 구두를 신어서 발이 아프다고 했습니다. 그 구두는 세일해서 어제 샀다고 했습니다.
• 제임스 씨는 그 여자한테 말을 걸고 싶었지만, 그 여자는 전화를 끊지 않았습니다.

라 다음을 이용해서 내용을 요약하십시오.

제임스 씨 / 지난 주말 / 고속버스 / 인천 / 가다
버스 / 옆 자리 / 멋있다 / 여자 / 앉다
제임스 씨 / 그 / 여자 / 주다 / 우유 / 사다
제임스 씨 / 그 / 여자 / 말 / 걸다 / 그 / 여자 / 계속 / 전화하다
제임스 씨 / 버스 / 내리다 / 버스 기사 / 초콜릿 우유 / 드리다

마 해 봅시다.

활동1
제임스 씨가 친구를 만나서 주말 이야기를 합니다.

> 인천에 갈 때 버스 옆 자리에 멋있는 여자가 앉았어요.

> 그런데요?

활동2
제임스 씨 이야기로
2분 스피치를 해 보세요.

바 써 봅시다.

쓰기1
다음 단어를 이용해서
제임스 씨 이야기를 써 보세요.

> 고속버스, 옆 자리, 말을 걸다, 전화를 끊다, 도착하다

쓰기2
제임스 씨 이야기와 비슷한 이야기를 써 보세요.

새로 배운 단어 표현

○ 계속하다
○ 심심하다
○ 버스 기사
○ 말을 걸다
○ 전화를 끊다

한국어 학생 제임스 씨가
159페이지 이야기를 썼어요.
그리고 이 이야기로 한국어 말하기 대회에서
상을 받았어요.

9과
듣고말하기 | 메모 좀 전해 주시겠어요?

전화 통화하는 것을 좋아하세요? 하루에 전화를 몇 통[3] 받으세요? 전화를 받을 때 뭐라고 해요?

이런 경험 있으세요?

🎧 수잔 씨가 누구하고 통화했어요?　　　　　　　　💿 CD 62

🎧 유리 씨가 누구하고 통화했어요?　　　　　　　　💿 CD 62

3) 통

162

가 메모에서 틀린 것을 찾으세요.(세 개)

> 한스 씨!
>
> 소정 씨가 전화했어요.
> -) 수잔
>
> 학교 앞 스타벅스에서
> 기다린다고 했어요.

> 지훈 씨!
>
> 유리 씨가 전화했어요.
>
> 내일 시험이 연기됐다
> 고 했어요.

나 묻고 대답하십시오.

1. 수잔 씨가 전화를 잘못 걸었어요. 남자가 전화를 받고 뭐라고 했어요?
2. 한스 씨가 왜 전화를 받을 수 없었어요?
3. 수잔 씨가 왜 한스 씨한테 전화했어요?
4. 타쿠야 씨가 유리 씨하고 오랜만에 통화했어요. 두 사람이 어떻게 인사했어요?
5. 유리 씨가 전화해서 뭐라고 했어요?

다 잘 듣고 빈칸을 채우십시오. ◎CD 63

수잔　　　 : 아! 저는 수잔인데요.
　　　　　　한스 씨하고 만나기로 했어요.
　　　　　　그런데 한스 씨가 안 ① ＿＿＿＿＿＿＿ 전화했어요.
한스 동료 : 아마 회의가 곧 ② ＿＿＿＿＿＿＿ 거예요.
수잔　　　 : 그럼, 메모 좀 전해 주시겠어요?
한스 동료 : 네, ③ ＿＿＿＿＿＿＿＿＿.

라 잘 듣고 따라하십시오. 역양 ◎CD 64

모르는 남자 : 네? 몇 번에 거셨어요?
수잔　　　　 : 거기 010-9885-2377 아니에요?
모르는 남자 : 전화 잘못 거셨어요. 1377이에요.
수잔　　　　 : 아, 그래요? 죄송합니다.

마 다음 요약문을 완성하십시오.

유리 씨는 지훈 씨하고 동아리 친구들하고 같이 (ㅅ　　　)을 가기로 했습니다. 그런데 갑자기 뉴스에서 내일 비가 온다고 해서 (ㅅ　　　)이 (ㅇ　　　). 유리 씨가 친구들한테 그것을 알려야 해서 지훈 씨 핸드폰으로 전화를 했습니다. 그런데 지훈 씨가 전화를 안 (ㅂ　　　) 유리 씨는 지훈 씨 하숙집으로 다시 전화를 했습니다. 타쿠야 씨가 지훈 씨한테 메모를 (ㅈ　　　) 줄 겁니다.

바 해 봅시다.

역할극

1. 전화 대화를 만들어 보세요.
   친구에게 전화를 걸었습니다.
   그런데 잘못 걸었습니다. 그때 어떻게 말해요?

몇 번에 거셨어요?

사 써 봅시다.

'바' 대화를 써 보세요.

2. 친구가 전화를 안 받습니다.
   다른 친구한테 전화해서 메모를 전해 보세요.

메모 좀 전해 주시겠어요?

새로 배운 단어 표현

○ 몇 번에 거셨어요?
○ 전화 잘못 거셨어요.

 문법

1. 간접화법② -는다고 하다
A 미나 씨가 뭐라고 했어요?
B 오후에 아르바이트한다고 했어요.

2. 간접화법② -았/었다고 하다
A 왜 지훈 씨는 식당에 같이 안 가요?
B 지훈 씨는 아까 식사했다고 했어요.

3. 간접화법② -을 거라고 하다
A 앤디 씨가 내일 파티에 갈 거라고 했어요?
B 아니요, 안 갈 거라고 했어요.

단어 표현

■ 동사　▲ 형용사　● 명사　◆ 부사　□ 기타/표현

대화	읽고 말하기	듣고 말하기
■ (-에) 늦다	■ 계속하다	■ 연기되다
■ 전하다	■ 세일하다	● 뉴스
■ (-에) 취직하다	▲ 심심하다	□ 전화를 걸다
◆ 곧	● 고속버스	□ 핸드폰을 받다
◆ 금방	● 버스 기사	□ 네, 말씀하세요.
□ 교통사고가 나다	● 우유	□ 메모 좀 전해 주시겠어요?
□ 월급이 적다	● 초콜릿	□ 몇 번에 거셨어요?
□ 학교에 나오다	● 터미널	□ 영호 씨 핸드폰 아니에요?
□ 한 학기를 쉬다	◆ 바로 그때	□ 오랜만이에요.
	◆ 벌써	□ 잠깐 나갔는데요.
	□ (-한테) 말을 걸다	□ 전화 잘못 거셨어요.
	□ 전화를 끊다	
	□ 드디어 전화를 끊었습니다.	
	□ 한 마디도 못했습니다.	p33

 말하기

1. 친구 집에 전화합니다. 그런데 친구가 집에 없습니다.
　메모를 부탁할 때 어떻게 말해요?

2. 전화 메시지를 전할 때 어떻게 말해요?

Listening
Script
듣기 대본

Listening Script 듣기 대본

① 언제 한국에 오셨어요?

p 29
CD 6

선생님 들어오세요.
데니 안녕하십니까?
선생님 안녕하세요? 여기 앉으세요.
데니 네, 감사합니다.
선생님 이름이 어떻게 되세요?
데니 데니 김입니다.
선생님 대…… 니…… 김.
데니 선생님, 거기 '데'는 '아이'가 아니에요. '어이'예요.
선생님 아, 네, 죄송합니다. 데니 씨는[1] 어디에서 오셨어요?
데니 캐나다에서 왔어요. 교포예요.
선생님 언제 한국에 오셨어요?
데니 음……, 한 달 전에 왔어요.
선생님 그럼, 한 달 동안 뭐 하셨어요?
데니 집을 구하고, 서울 여기저기를 구경했어요.
선생님 서울에 친구가 있으세요?[2]
데니 없어요. 그런데 서울에 친척이 있어서 같이 다녔어요.
선생님 친척들하고 한국어로 얘기하세요?
데니 아니요. 아직 한국어를 잘 못해서 영어로 얘기해요. 나중에 한국어로 얘기(=이야기)하고 싶어요.
선생님 아, 그래서 한국어를 공부하세요?
데니 네. 그리고 한국 문화도 배우고 싶어요.
선생님 그럼, 얼마 동안 한국어를 공부하실 거예요?
데니 음……, 6개월 동안 공부할 거예요.
선생님 네, 수고하셨습니다. 인터뷰가 끝났어요.
데니 감사합니다. 안녕히 계세요.

1) -는
2) 있으세요?

② 여기 웬일이세요?

p 45
CD 13

제임스 리엔 씨, 여기 웬일이세요?
리엔 어! 제임스 씨. 제임스 씨는 여기 웬일이세요?
제임스 저는 이 학원에서 영어를 가르치고 있어요.
리엔 그러세요?
저는 오늘부터 아침에 영어를 배우려고 이 학원에 등록했어요.
제임스 네……. 무슨 수업을 들으세요?
리엔 말하기 수업을 들어요.
그런데 제임스 씨는 언제부터 영어를 가르치셨어요?

제임스 올해부터요.
리엔 매일 수업이 있으세요?
제임스 네, 월요일부터 토요일까지 수업이 있어요. 주중에는[1] 어른들을 가르치고 주말에는 아이들을 가르쳐요.
리엔 수업이 재미있으세요?
제임스 그럼요, 아주 재미있어요. 리엔 씨는 왜 영어를 공부하세요?
리엔 중국에 돌아간 다음에 큰 무역 회사에 들어가려고 해요. 그래서 영어와 한국어를 둘 다 공부하고 있어요.
제임스 네……. 무역 회사에서 일하려고 영어를 공부하세요?
리엔 네, 그래요.
학교 친구를 여기에서 만나서 정말 반가워요.
제임스 저도요. 어! 리엔 씨, 수업 시작 시간이에요.
리엔 그럼, 제임스 씨, 이따가 수업이 끝난 다음에 같이 학교에 가요![2]
제임스 좋아요. 그럼, 수업 끝나고 8시에 여기서(=여기에서) 만나요!

제임스 Good morning! How's everybody today?
리엔 어머! 제임스 씨.

1) -은/는 …… -은/는
2) 같이 -아/어요!

③ 번지 점프를 했어요

p 61
CD 20

제니 앤디 씨, 안녕하세요?
앤디 어! 제니 씨! 안녕하세요?
제니 앤디 씨, 주말 잘 보냈어요?
앤디 네, 아주 재미있었어요.
제니 뭐 했어요?
앤디 친구들하고 분당에 가서 번지 점프를 했어요.
제니 번지 점프요?
앤디 네, 진짜 재미있었어요.
제니 번지 점프가 위험하지 않아요?
앤디 위험하지 않아요.
제니 안 무서웠어요?
앤디 뛰어내리기 전에는 조금 무서웠어요. 하지만 뛰어내릴 때에는 하나도 안 무서웠어요[1]. 기분이 정말 좋았어요.
제니 네, 그랬어요?
앤디 제니 씨는 주말을 어떻게 보냈어요?
제니 저는 친구하고 에버랜드에 갔다 왔어요.
앤디 주말에는 에버랜드에 사람이 많지 않아요?
제니 많아요. 그래서 아침 일찍 가서 9시에 문을 열 때 들어갔어요.
앤디 그럼, 몇 시에 나왔어요?
제니 놀이 공원에서 놀고 동물원에 가서 구경하고 12시쯤 나와서 점심 먹었어요.

앤디   그렇게 일찍 나왔어요?

제니   네. 오후에는 에버랜드에 사람이 너무 많아서 복잡해요.
        그리고 서울에 돌아올 때 길이 많이 막혀요.

앤디   아, 그래요?

제니   앤디 씨도 에버랜드에 갈 때 아침 일찍 출발하세요.

앤디   네, 알겠어요.

제니   아! 우리 이번 주 일요일에 같이 에버랜드에 갈까요?

앤디   이번 주 일요일에요?

1) 하나도 안 ……

p 80
CD 27

큰 길이 나오면 왼쪽으로 가세요

미나   택시!

미나   아저씨, 메가박스 극장이요.
택시기사   메가박스요?
미나   네. 신촌 기차역 근처에 있어요.
택시기사   네.

미나   아저씨, 죄송하지만 좀 빨리 가 주세요.
            제가 약속 시간에 늦어서 그래요.
택시기사   네. 그런데 퇴근 시간이라서 길이 막힐 거예요.
미나   그럼, 아저씨, 저기 신호등에서 오른쪽으로 들어가세요.
            그 쪽으로 가면 빨리 갈 수 있어요.
택시기사   저기 하이마트 옆길로요?
미나   네. 그리고 쭉 가세요.
택시기사   네.
미나   큰길이 나오면 왼쪽으로 가세요.
택시기사   네. 왼쪽으로 왔어요. 그 다음은요?
미나   사거리를 지나서 쭉 가다가 이대 정문이 나오면
            다시 왼쪽으로 가세요.
택시기사   왼쪽으로요?
미나   네.
택시기사   어디에서 내리실 거예요?
미나   저기 횡단보도에서 세워 주시면 돼요.1)
택시기사   기차역 지나서요?
미나   네. 기차역 지나서 첫 번째 횡단보도요.

택시기사   다 왔습니다.
미나   아저씨, 얼마예요?
택시기사   4,400원입니다.
미나   여기요. 감사합니다.
택시기사   안녕히 가세요.

1) -으면 되다

⑤

p 97
CD 34

어떤 영화를 좋아하세요?

완   좋은 영화가 많은데요!1) 뭐 보는 게 좋을까요?
한스   와! 이 포스터 좀 보세요. 〈링〉볼까요?
완   〈링〉이요? 한스 씨, 무서운 영화는 싫어요.
한스   그래요? 그럼, 완 씨는 어떤 영화를 좋아하세요?
완   액션 영화요.
한스   좋아요. 그럼, 여기서(=여기에서) 〈태극기〉도 하니까 〈태극기〉
        볼까요?
완   좋지요2). 그런데 그 영화에 누가 나와요?
한스   유명한 배우가 나와요. 장동건 씨요.
완   장동건 씨요? 제가3) 정말 좋아해요.
한스   그래요? 그럼, 〈태극기〉 봐요.
완   지금 2시 반이니까 3시 영화 볼까요?
한스   좋아요. 제가 표 살게요.
완   네.

한스   완 씨, 어떻게 하지요? 표가 다 팔렸어요.
완   다음 회도 없어요?
한스   네, 다음 회도 다 팔렸어요.
완   어휴(=어유)!
한스   완 씨, 여기서 〈타이타닉〉도 하니까 〈타이타닉〉 보는 게 어때요? 이
        영화도 인기가 많아요.
완   저, 한스 씨, 이 영화는 다음 주에 다른 친구하고 보기로 했어요.
한스   그래요? 누구하고 보기로 했어요?
완   타쿠야 씨하고 보기로 했어요.
한스   뭐라고요? 타쿠야 씨하고요?

1) -은데요
2) -지요
3) 제가

p 113

CD 41

규칙이 있어요

스티브 안녕하세요, 제니 씨?

요즘 어떻게 지내세요?

제니 잘 지내요. 저는 요즘 한국어를 배워요.

스티브 그래요? 저도 한국어를 공부하려고 해요.

제니 씨 학교에서는 1주일에 수업이 몇 시간이에요?

제니 스무 시간이요. 9시부터 1시까지 네 시간씩[1] 공부해요.

그런데 9시 수업은 선택이니까[2] 안 들어도 돼요.

스티브 네. 학생이 한 반에 몇 명이에요?

제니 열두 명쯤 돼요.

스티브 수업은 어때요?

제니 말하기 연습을 많이 할 수 있어서 수업이 재미있어요.

또 수업 분위기도 자유로워요.

스티브 아, 그래요? 저도 거기에 다니고 싶어요.

제니 하지만 규칙이 있어요.

스티브 무슨 규칙인데요?

제니 한 학기에 20%(퍼센트) 이상 결석하면 안 돼요.

스티브 그럼, 바쁜 사람들은 어떻게 해요?

제니 그런 분들은 개인 수업을 들어요.

스티브 네.

제니 나중에 졸업식 할 때 한번 오세요.

연극이나 노래 공연을 하니까 재미있을 거예요.

스티브 제가 졸업식에 가도 돼요?

제니 그럼요. 졸업식에 친구들이 많이 와요.

그리고 졸업식이 끝난 다음에 다 같이 식사하니까,

그때 다른 사람 얘기(=이야기)도 들어 보세요.

스티브 알겠어요. 감사합니다.

1) -씩
2) -이니까

p 130

CD 48

큰 배낭 있으면 좀 보여 주세요

주인 어서 오세요.

뭐 찾으세요, 손님?

지훈 배낭 있어요?

주인 네, 이쪽으로 오세요.

지훈 외국에 여행을 가려고 하는데요.

큰 배낭 있으면 좀 보여 주세요.

주인 네. 이거(=이것) 어떠세요? 크고 가벼워요.

그리고 주머니가 있어서 편리해요.

지훈 이거(=이것) 튼튼해요?

주인 물론이지요. 또 방수가 돼서 비가 올 때에도 문제가 없어요.

지훈 얼마예요?

주인 10만원이에요.

지훈 10만원이요? 너무 비싼데요. 더 싼 거(=것은) 없어요?

주인 더 싼 거는(=것은) 여기 있어요. 이건(=이것은) 6만원이에요.

지훈 저거(=저것)보다 작아 보여요[1]

주인 아니에요. 크기는 같아요. 그런데 주머니가 없어서 그래요.

지훈 네. 이 배낭도 튼튼해요?

주인 그럼요. 가볍고 아주 튼튼해요. 그런데 방수가 안 돼요.

지훈 방수가 안 돼요?

주인 그래도 값이 싸서 손님들이 많이 사 가요[2]

지훈 값은 괜찮지만, 방수가 안 돼서 마음에 안 들어요.

주인 그럼, 저걸로(=저것으로) 하세요.

지훈 글쎄요, 좀 더 보고 올게요.

주인 그러세요, 손님.

지훈 안녕히 계세요.

주인 안녕히 가세요.

1) -아/어 보이다
2) 사 가다

p 145

CD 55

비빔밥이 맛있다고 했어요

지훈 아주머니, 안녕하세요?

아주머니 지훈 학생. 어서 와요.

지훈 개업을 축하드립니다. 여기 화분을 가져왔어요.

아주머니 아이구, 화분이 참[1] 예뻐요. 정말 고마워요.

지훈 아니에요. 친구도 같이 왔어요. 완 씨, 인사하세요.

완 안녕하세요? 식당 분위기가 참 좋아요.

아주머니 그래요? 고마워요. 저기 자리가 있으니까 가서 앉으세요.

아주머니 뭐 드시겠어요?

완 뭐가 제일 맛있어요?

아주머니 비빔밥 드세요. 손님들이 맛있다고 했어요.

완 그럼, 저는 그걸로(=그것으로) 주세요.

아주머니 지훈 학생은 뭐 드시겠어요?

지훈 저는 물냉면 주세요.

아주머니 네.

아주머니 여기 비빔밥하고 물냉면 나왔어요.

지훈 아주머니, 냉면 좀 잘라 주시겠어요?

아주머니	네. 맛있게 드세요.
지훈·완	감사합니다.
지훈	완 씨, 비빔밥 어때요?
완	아주 맛있어요. 냉면은요?
지훈	냉면도 시원하고 맛있어요.
아주머니	이 떡 좀 드세요.
지훈	어! 이게(=이것이) 무슨 떡이에요?
아주머니	오늘 개업해서 준비했어요.
완	한국에서는 개업하면 떡을 줘요?
지훈	네. 개업하면 이웃집과 손님들한테 떡을 돌려요.
아주머니	네. 그래서 떡을 준비했어요. 드셔 보세요.
완	감사합니다. 잘 먹겠습니다.

1) 참

9························ p 162

CD 62

메모 좀 전해 주시겠어요?

📱 수잔 씨가 영호 씨한테 전화합니다.

모르는 남자	여보세요.
수잔	여보세요. 어! 영호 씨 핸드폰 아니에요?
모르는 남자	네? 몇 번에 거셨어요?
수잔	거기 010-9885-2377 아니에요?
모르는 남자	전화 잘못 거셨어요. 1377이에요.
수잔	아, 그래요? 죄송합니다.
모르는 남자	아니에요.

📱 수잔 씨가 한스 씨 핸드폰에 전화합니다. 그런데 한스 씨는 지금 핸드폰을 받을 수 없습니다.

한스 동료	여보세요. 한스 씨 핸드폰입니다.
수잔	아……, 저, 한스 씨는…….
한스 동료	한스 씨가 회의하러 갔는데요.
수잔	아! 저는 수잔인데요. 한스 씨하고 만나기로 했어요.
	그런데 한스 씨가 안 나와서 전화했어요.
한스 동료	아마 회의가 곧 끝날 거예요.
수잔	그럼, 메모 좀 전해 주시겠어요?
한스 동료	네, 말씀하세요.
수잔	제가 회사 앞 스타벅스에서 기다린다고 전해 주세요.
한스 동료	네, 그렇게[1] 전해 드릴게요.
수잔	감사합니다. 안녕히 계세요.
한스 동료	네.

📱 지훈 씨가 전화를 받지 않습니다. 그래서 유리 씨가 타쿠야 씨한테 전화합니다.

타쿠야	여보세요.
유리	여보세요. 타쿠야 씨예요?
타쿠야	네, 그런데요.
유리	안녕하세요? 저 유리예요.
타쿠야	아, 안녕하세요, 유리 씨? 오랜만이에요. 잘 지내세요?
유리	네. 잘 지내요. 저, 지훈 씨 있어요?
타쿠야	지훈 씨 잠깐 나갔는데요. 핸드폰으로 연락해 보세요.
유리	핸드폰을 안 받아서요. 메모 좀 전해 주시겠어요?
타쿠야	네. 말씀하세요.
유리	뉴스에서 내일 비가 온다고 해서 소풍이 연기됐어요.
타쿠야	그렇게 전하면 돼요?
유리	네, 꼭 좀 전해 주세요.
타쿠야	네, 알겠어요.
유리	안녕히 계세요.
타쿠야	안녕히 계세요.

1) 그렇게

Listening Script

① .... p 29

CD 6

When did you come to Korea?

Teacher	Come in.
Denny	Hello.
Teacher	Hello. Please, sit here.
Denny	Thank you.
Teacher	What's your name?
Denny	I'm Denny Kim.
Teacher	Da...nny...Kim...
Denny	The '데' there is not '아이'. It's '에이'.
Teacher	Oh, yes. Sorry. Denny, where are you from?
Denny	I'm from Canada. I'm a gyopo (overseas Korean).
Teacher	When did you come to Korea?
Denny	Um... I came one month ago.
Teacher	I see, what have you been doing for the last month?
Denny	I looked for a place to live and went sightseeing in Seoul here and there.
Teacher	Do you have any friends in Seoul?
Denny	No, none. But I have some relatives here, and we have been to some places together.
Teacher	Do you talk with your relatives in Korean?
Denny	No. Since I can't speak Korean well yet, I talk in English. Later, I hope to be able to talk in Korean.
Teacher	Oh, so that's why you are studying Korean?
Denny	Yes, and I also want to learn about Korean culture.
Teacher	Okay, how long will you study Korean?
Denny	Um... I will study for six months.
Teacher	I see. You did a good job. That's the end of the interview.
Denny	Thank you. Goodbye.

② .... p 45

CD 13

What brings you here?

James	Lien, what brings you here?
Lien	Oh, James! What are you doing here?
James	I teach English at this institute.
Lien	Do you? I registered for a class at this institute to learn English in the morning from today.
James	I see... What class are you taking?
Lien	I'm taking a speaking class. By the way, how long have you been teaching English here, James?
James	I started this year.
Lien	Do you have class everyday?
James	Yes, I have class from Monday to Saturday. On weekdays I teach adults, and on weekends I teach children.
Lien	Is the class fun?
James	Of course, it's lots of fun. Lien, why are you studying English?
Lien	I plan to join a big trading company after I return to China. So I'm studying both English and Korean.
James	I see... You are studying English to work at a trading company?
Lien	Yes, that's right. I'm really glad that I met a school friend here.
James	Me too. Ah! Lien, it's time for class to start.
Lien	Well, James, after class is over, let's go to school together!
James	Okay. So, let's meet here at 8 o'clock when class ends.
James	Good morning! How's everybody today?
Lien	Oh, my gosh! James!

③ .... p 61

CD 20

I went bungee jumping.

Jenny	Hi, Andy!
Andy	Oh, Jenny! Hi.
Jenny	Andy, did you have a good weekend?
Andy	Yes, it was very interesting.
Jenny	What did you do?
Andy	I went to Bundang with my friends, and we went bungee jumping.
Jenny	Bungee jumping?
Andy	Yes, it was really fun.
Jenny	Isn't bungee jumping dangerous?
Andy	No, it's not dangerous.
Jenny	Weren't you scared?
Andy	Before I jumped, I was a little scared. But when I was falling, I wasn't scared at all. I felt really good.
Jenny	Wow, really?
Andy	What did you do on the weekend, Jenny?
Jenny	I went to Everland with my friends.
Andy	Aren't there a lot of people at Everland on weekends?

Jenny	Yes, there are a lot of people. So we went early in the morning and entered at 9 am when it opened.
Andy	Then, what time did you leave?
Jenny	We hung around at the amusement park, and went to the zoo to look around, and left at around 12, and ate lunch.
Andy	You left that early?
Jenny	Yes. In the afternoons, there are so many people at Everland that it gets too crowded. And the road is packed on the way back to Seoul.
Andy	Oh, really?
Jenny	Andy, if you ever go to Everland, leave early in the morning.
Andy	Okay.
Jenny	Ah! Shall we go to Everland together this Sunday?
Andy	You mean this Sunday?

p 80

CD 34

When you come out onto the main road, go left.

Mina	Taxi!
Mina	Megabox theater, please.
Driver	Megabox theater?
Mina	Yes. It's near Shinchon train station.
Driver	Okay.
Mina	Please make it fast because I'm late for an appointment.
Driver	Yes. But because it's rush hour, the streets will be packed.
Mina	Then, please turn right at that traffic light there. If you go that way, we can go faster.
Driver	That side street at Himart?
Mina	Yes. And then go straight.
Driver	Okay.
Mina	When you come out onto the main road, go left.
Driver	All right. That was the left turn. Now what next?
Mina	Go straight after the intersection, and turn left again when you come out at the main gate of Ewha Woman's University.
Driver	Turn left?
Mina	Yes.

Driver	Where do you want to get out?
Mina	You can let me out at the crosswalk over there.
Driver	Go past the train station?
Mina	Yes. At the first crosswalk after passing the train station.
Driver	We're here.
Mina	How much is it?
Driver	It's 4,400 won.
Mina	Here you are. Thank you.
Driver	Goodbye.

p 20

CD 35

What kind of movies do you like?

Wan	There are a lot of good movies! Which one would you like to see?
Hans	Wow! Look at this poster. Shall we see Ring?
Wan	Ring? Hans, I hate scary movies.
Hans	Really? Well, what kind of movies do you like, Wan?
Wan	Action movies.
Hans	Okay. Then, since Taegeukgi is playing here too, shall we see Taegeukgi?
Wan	That sounds good. By the way who's in that movie?
Hans	There's a famous actor in it. Jang Dong-geon.
Wan	Jang Dong-geon? I really like him.
Hans	Really? Then, let's see Taegeukgi.
Wan	Since it's 2:30 right now, shall we go to the 3 o'clock showing?
Hans	Sounds good. I'll buy the tickets.
Wan	Okay.
Hans	Wan, what should we do? The tickets are all sold out.
Wan	Aren't there any for the next show?
Hans	No, they're all sold out too.
Wan	Oh...
Hans	Wan, since Titanic is playing here too, how about watching Titanic? This movie is also popular.
Wan	Oh, but, Hans, I promised another friend to watch this movie with him next week.
Hans	Really? Who did you promise to see the movie with?
Wan	I promised to see it with Takuya.
Hans	What did you say? With Takuya?

6. There's a rule.

p 113
CD 41

Steve	Hi, Jenny. How have you been doing?
Jenny	I've been doing well. I'm learning Korean these days.
Steve	Really? I intend to study Korean too. How many hours of class do you have a week at your school?
Jenny	Twenty hours. I study from 9 am to 1 pm for four hours. But the 9 am class is an elective so you don't have to take it.
Steve	I see. How many students are in a class?
Jenny	Approximately twelve students.
Steve	How's the class?
Jenny	The class is interesting because there's a lot of speaking practice. And the class atmosphere is comfortable.
Steve	Oh, really? I'd like to go there, too.
Jenny	But, there's a rule.
Steve	What kind of rule?
Jenny	You must not miss more than 20% of classes in one quarter.
Steve	Well, what are busy people supposed to do?
Jenny	Those people can get private tutoring.
Steve	I see.
Jenny	Why don't you come and visit later, at the graduation ceremony. There is going to be performances of plays and songs, so it will be interesting.
Steve	Can I go to the graduation ceremony?
Jenny	Of course. A lot of people bring friends. And since we all eat together after the ceremony, you can talk and listen to other people.
Steve	I see. Thanks.

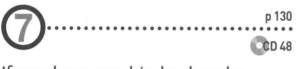

p 130
CD 48

7. If you have any big backpacks, please show them to me.

Shop owner	Please come in. What are you looking for?
Jihoon	Do you have any backpacks?
Shop owner	Yes, please come this way.
Jihoon	I'm planning to travel abroad. If you have any big backpacks, please show them to me.
Shop owner	Yes. How about this one? It's big and light. And it's convenient because it has pockets.
Jihoon	Is this one sturdy?
Shop owner	Of course. In addition, it's waterproof so you'll have no problem even if it rains.
Jihoon	How much it is?
Shop owner	It's 100,000 won.
Jihoon	100,000 won? That's too expensive. Don't you have any cheaper ones?
Shop owner	The cheaper ones are over here. This one is 60,000 won.
Jihoon	This one seems smaller than that one.
Shop owner	It's not. The sizes are the same. It just seems smaller because there are no pockets.
Jihoon	I see. Is this backpack sturdy too?
Shop owner	Of course. It's light and very sturdy. But it's not waterproof.
Jihoon	It's not waterproof?
Shop owner	No. But it's not expensive, so a lot of customers have bought this one.
Jihoon	The price is okay, but since it's not waterproof I don't want it.
Shop owner	Then, why not get that one?
Jihoon	Well... I'll look around a little more and come back.
Shop owner	All right.
Jihoon	Goodbye.
Shop owner	Goodbye.

p 145
CD 55

8. Our customers said it's delicious.

Jihoon	Hello, how are you?
Restaurant owner	Jihoon, come in.
Jihoon	Congratulations on opening your restaurant. I brought you a plant.
Restaurant owner	Oh, my! It's very pretty. Thank you so much.
Jihoon	You're welcome. My friend came too. Wan, please say hello.
Wan	Hello. The restaurant's atmosphere is really nice.
Restaurant owner	Really? Thank you. There are seats over there, so why don't you go and have a seat.
Restaurant owner	What would you like to eat?

Wan	What's the tastiest dish here?
Restaurant owner	Try the Bibimbap (rice with mixed vegetables). Our customers said it's delicious.
Wan	Then, I'll have that.
Restaurant owner	Jihoon, what would you like to eat?
Jihoon	I'll have Mullaengmyeon (cold buckwheat noodles in broth).
Restaurant owner	Okay.
Restaurant owner	Here's your Bibimbap and Mullaengmyeon.
Jihoon	Could you cut my noodles, please?
Restaurant owner	Yes. Enjoy your meal.
Jihoon · Wan	Thank you.
Jihoon	Wan, how's your Bibimbap?
Wan	It's really tasty. How's your Mullaengmyeon?
Jihoon	It's refreshing and good.
Restaurant owner	Please try this rice cake.
Jihoon	Oh! what is this rice cake for?
Restaurant owner	I prepared it because we opened today.
Wan	In Korea, do you give out rice cake on the opening day?
Jihoon	Yes. If you open a new store, you give out rice cake to your neighbors and customers.
Restaurant owner	That's right. That's why I prepared rice cake. Try some.
Wan	Thank you. I'm sure I will enjoy it.

⑨ · p 162

CD 62

Could you please give him a message?

 Susan calls Yeongho.

Wrong person	Hello?
Susan	Hello? Ah, isn't this Yeongho's cell phone?
Wrong person	Excuse me? What number did you dial?
Susan	Isn't this 010-9885-2377?
Wrong person	You've got the wrong number. It's 1377.
Susan	Oh, really? I'm sorry.
Wrong person	It's all right.

Susan calls Hans' cell phone. But, Hans can't take the call now.

Hans' colleague	Hello? This is Hans' phone.
Susan	Ah... well, is Hans...

Hans' colleague	Hans went out for a meeting.
Susan	Ah... This is Susan. I was supposed to meet Hans. But he didn't come, so I called.
Hans' colleague	It's likely that the meeting will end soon.
Susan	Then, could you please give him a message?
Hans' colleague	Yes, go ahead.
Susan	Please tell him that I'm waiting for him at Starbucks in front of your company.
Hans' colleague	Yes, I will let him know.
Susan	Thank you. Goodbye.
Hans' colleague	Goodbye.

Jihoon doesn't answer the phone call. So Yuri calls Takuya.

Takuya	Hello?
Yuri	Hello? Is this Takuya?
Takuya	Yes, that's right.
Yuri	Hi. It's me, Yuri.
Takuya	Oh, hi, Yuri. It's been a while. How have you been?
Yuri	I've been alright. Say, is Jihoon there?
Takuya	Jihoon went out for a little while. Why don't you call his cell phone?
Yuri	He doesn't answer it. Could you please give him a message?
Takuya	Okay. Go ahead.
Yuri	On the news they said it will rain tomorrow, so the picnic has been postponed.
Takuya	Should I tell him just that?
Yuri	Yes, please be sure to tell him that.
Takuya	Okay, no problem.
Yuri	Goodbye.
Takuya	Goodbye.

CD 트랙 목차